Table

Portrait de Montaigne (édition de Mlle de Gournay, 1635)
L'authenticité de ce portrait n'est pas établie.

œuvres et thèmes

lectures
de
« L'ART DE CONFÉRER »
de Montaigne

THÈME : L'IRONIE

Pascal Mathiot
Lycée Chérioux, Vitry

—

Bernard Roussel
Lycée Henri IV, Paris

Colette-Chantal Adam	**Marcel Desportes**	**Hughes Labrusse**
École nationale de chimie	*Lycée Malherbe, Caen*	*Lycée Malherbe, Caen*
Noël Taconet	**André Ughetto**	**Arnaud Villani**
Lycée Champollion, Grenoble	*Lycée Jean Perrin*	*Lycée Masséna, Nice*

professeurs en classe préparatoire

—

| **Claude Galley** | **Michel Salvat** |
| *Lycée Jean Perrin, Marseille* | *École normale supérieure, St-Cloud* |

COLLECTIONS DIA
Diffusion
LIBRAIRIE BELIN
8, rue Férou, 75278 Paris Cedex 06

Nous remercions les éditions Gallimard et Flammarion, ainsi que les héritiers d'Élie Faure, d'avoir bien voulu nous autoriser à reproduire des extraits de divers ouvrages.

Les collections **DIA** sont coéditées par la Librairie Euphorion et la Librairie classique Eugène Belin.

Rédaction : Librairie Euphorion, 31 rue Dauphine, 75006 Paris.

ISBN 2-7303-2506-9 Euphorion   ISBN 2-7011-0032-2 Belin

AVANT-PROPOS

Montaigne au programme des classes préparatoires aux Grandes écoles scientifiques, voilà de quoi surprendre. Provocation ou première figure de l'ironie ? En un temps où les humanités classiques sont réduites à la portion congrue, où les « littéraires » eux-mêmes voient de plus en plus le latin et le grec comme des continents dont la dérive, l'éloignement paraissent irréversibles, il faudra donc que des étudiants dont le temps et l'énergie à consacrer au français sont comptés, se lancent dans ce texte essentiellement « inconfortable », farci justement de citations latines et d'exemples d'histoires — Pausanias ! — d'un univers qui n'est plus le nôtre et qui semble pour Montaigne une seconde — ou une première — nature. Plutarque, Héraclite, Martial, Tite-Live, Virgile, Thucydide, Diogène Laërce, Tacite, Quinte-Curce cités une ou plusieurs fois dans la vingtaine de pages que comprend le chapitre « L'art de conférer », passants anonymes identifiés uniquement grâce à de savantes notes, intimidant cortège qui accompagne la pensée de Montaigne comme son ombre !

C'est que la lettre même du texte arrête, ou fait chanceler. On prend donc l'habitude de glisser prudemment sur certains enchaînements obscurs, sur des coordinations gênantes, sur les « que » ambigus (du fait que ? afin que ? avant que ?), sur les orthographes fantaisistes ou archaïques (apprinsent, treuve, aggreable), sur les mots faussement familiers, tordus et déplacés de leur usage

habituel *(à commencer par la « conférence ») ou franchement*
étrangers, pour se contenter d'un sens entr'aperçu, pressenti,
intermittent et pour se cramponner désespérément à quelques
maximes de morale bien campées et stabilisées autour de leur
verbe « être » (« l'obstination et ardeur d'opinion est la plus sûre
preuve de bêtise »). Quant aux titres des chapitres eux-mêmes, on
sait qu'ils ne sont qu'un guide trompeur...

Autant de bribes d'une pensée éclatée que l'on raccommode
tant bien que mal avec des souvenirs de manuels scolaires : sagesse
souriante de Montaigne, modération de Montaigne, prudence de
Montaigne, tolérance de Montaigne, acceptation de la vie, de la
mort. Beau discours à trois temps — stoïcien, sceptique, épicurien
—, humanisme d'un autre âge que l'aventure de notre temps déva-
lue sans remède.

Le présent volume voudrait au contraire préparer les étudiants
en leur faisant éprouver la proximité chaleureuse de cette langue et
pressentir la profondeur de cette pensée.

Le premier obstacle qui empêchait de suivre le texte pas à pas
étant levé (voir, à la page 167, le « Guide grammatical » de
Cl. Galley), on pourra aborder aux rivages d'une langue éton-
namment concrète et familière, finalement pur jaillissement con-
voquant en toute occasion le geste, l'énergie, la force du corps (v.
« Le vocabulaire des images » de Cl. Galley et les « Notes sur le
style de Montaigne » de M. Salvat). Apprentissage montanien
d'une langue puisée à sa source avant toute rectification de l'intel-
ligence abstraite, aux antipodes en cela de toute ironie, et qui don-
nerait toute leur dimension poétique aux Essais (v. « Montaigne,
apprenti » de H. Labrusse).

Il faut aussi entrer dans le siècle de la Renaissance, de l'huma-
nisme, interroger et éprouver la force de ses « oscillations » et
tâcher de comprendre ce que sont ces « Essais » et ce que « confé-
rer » veut dire (v. « Au siècle des Essais : quelle conférence pour
Montaigne ? » de C.-C. Adam).

Mais un texte qui fait jouer autant d'énergies discordantes, qui
volatilise et métamorphose toute perspective trop géométrique
appelle une grande prudence dans son maniement : on s'arrêtera
donc à l'étude du rapport de Montaigne à sa propre langue (v.
l'article de H. Labrusse), ainsi qu'à une étude structurale atten-

tive « au fil du texte » (A. Ughetto, « L'hygiène de l'ironie dans l'exercice de la tolérance », I) ou à des « précautions de lecture » en forme de « protocole » (P. Mathiot, « L'ironie et le jeu », I).

Cela fait, la question de savoir s'il convenait de privilégier le thème (l'ironie) aux dépens du texte, ou l'inverse, n'a guère semblé se poser réellement. Décrire l'ironie est aussi difficile, dit Kierkegaard, que dessiner un lutin avec le bonnet qui le rend invisible. Elle se donne sans se donner à connaître. Tout ce que vous voudrez, dit-elle, sauf entrer dans votre système. Elle vient sans s'annoncer, sans s'attarder. Aussi M. Desportes, dans sa « Note sur l'ironie », se garde-t-il bien de la définir ; il préfère esquisser une typologie de cette « feinte bienfaisante de l'esprit ». Il existe, bien entendu, des définitions rhétoriques ou linguistiques de l'ironie — v. les articles de B. Roussel, A. Ughetto (II, III), P. Mathiot (II, III). Mais outre que leur diversité ne peut qu'attester la nature multiforme de la notion, la difficulté provient ici de ce que l'ironie n'est pas seulement localisée dans des phrases isolées, d'ailleurs peu nombreuses, mais constitue le principe même du texte. Elle est organiquement liée au projet de Montaigne, où le moi cherche inlassablement à s'explorer (B. Roussel, « Ironie et autobiographie »). Elle est liée au dialogue, à la communication, dont il importait de rappeler dans une perspective philosophique et historique les grands modèles, pour les appliquer ensuite au texte (A. Villani, « L'ironie, concept de tout dialogue »). Elle est liée à la « conférence », dans le détail du texte, comme « échange impensable » sans le « regard de soi à soi » et comme position d'enjeu pour la conscience morale (N. Taconet, « La conscience et l'ironie dans L'art de conférer »).

Au point que le texte même a semblé sécréter une ironie spécifique, comme consubstantielle : « ironie structurale » étudiée sur des paragraphes précis (article d'A. Ughetto, II, III), « ironie situationnelle-textuelle » comme figure du jeu du texte (article de P. Mathiot, III).

Mais rien ici n'est codifiable ni codifié. Montaigne aurait souri avec un léger dédain de chacune des interprétations proposées sur les fins, les avatars ou les limites de l'ironie dans le chapitre étudié : « Il y a plus de livres sur les livres que sur un autre sujet : nous ne faisons que nous entregloser. » Il les aurait pourtant accueillies comme il savait accueillir tous les possibles, les « prodiges » ou « les songes d'une vieille », à condition que chaque interprétation acceptât d'être corrigée par les autres interprétations. Car telle serait la règle du jeu des Essais — et la vérité de leur ironie : revenons finalement à notre subjectivité, à notre moi...

On souhaitera du moins qu'à l'issue de ce parcours nous puissions nous reconnaître, au meilleur de nous-mêmes, comme les disciples obscurs de cet ignorant « fort et généreux », critique infatigable, ennemi du savoir par amour du savoir.

Pascal Mathiot

Juillet 1980.

Les indications de page renvoient à l'édition
Garnier-Flammarion (1969) des

Essais

Livre III

par

Michel de Montaigne

Chronologie et introduction par Alexandre Micha

L'IRONIE — Définitions : v. pp. 74 et 148.

BERNARD ROUSSEL

Ironie et autobiographie

Résumé

Les auteurs d'autobiographies éprouvent tous le besoin de justi-
fier leur entreprise, comme s'ils hésitaient encore devant l'aveu
d'une vérité personnelle et le pouvoir exorbitant du langage.
   I. L'enjouement ironique peut leur fournir le ton qui établira
      la communication avec le lecteur.
  II. L'ironie socratique leur permet de s'interroger sur leur per-
      sonnalité, leur passé, l'unité de leur vie.
 III. L'ironie rhétorique devrait les mettre à l'abri de toutes les
      censures.
   Ce serait mauvais signe toutefois, si nous pouvions codifier trop
rigoureusement les rapports de l'ironie et de l'autobiographie.

Bernard Roussel, agrégé de lettres, est professeur de Première supérieure (Saint-Cyr) et de Lettres supérieures
(Saint-Cyr) au Lycée Henri IV à Paris ; il enseigne également en Lettres supérieures au Lycée expérimental de
Sèvres. Il a publié plusieurs ouvrages, dont *Mauriac, le
péché et la grâce* (Centurion, 1964), ainsi qu'une édition
des romans de Mme de Lafayette (Lausanne, 1975). Il
contribue régulièrement à diverses revues pédagogiques,
et produit des émissions à la radio scolaire.

La rencontre de l'ironie et de l'autobiographie était fatale. Parler de soi conduit à s'interroger sur sa personnalité ; écrire sur soi amène à prendre une distance vis-à-vis de son personnage ; se complaire dans sa personne fait courir le risque de susciter la dérision chez le lecteur. Interrogation, distanciation, dérision : trois aspects, semble-t-il, de l'attitude ironique. Mais qu'est-ce que l'ironie ? et peut-on parler d'autobiographie à propos des *Essais* de Montaigne ?

L'ironie est protéiforme ; au point que les traducteurs d'Aristote emploient un autre mot français pour rendre le terme d'« ironie » ; et on a pu relever dans l'ouvrage de J.A.K. Thomson, *Irony — An Historical Introduction,* vingt-six acceptions différentes du mot « irony ». Faut-il s'amuser à imaginer tous les cas de figures possibles, qui combineraient chacun de ces sens avec les diverses formes de la littérature intime ? En voulant être exhaustif, on risquerait de perdre de vue l'essentiel.

Mais il ne faut pas non plus se limiter à des définitions trop étroites ; car, d'emblée, la définition de l'autobiographie poserait une question préjudicielle. Si l'on adopte en effet la définition que M. Philippe Lejeune se donne dans *L'Autobiographie en France* (A. Colin, 1971), les *Essais* n'entrent pas dans ce genre littéraire. C'est que M. Lejeune appelle « autobiographie » (p. 14) « le récit rétrospectif en prose que quelqu'un fait de sa propre existence, quand il met l'accent principal sur sa vie individuelle, en particulier sur l'histoire de sa personnalité ». L'autobiographie, ainsi définie, apparaît essentiellement comme une structure narrative, qui rend compte du devenir d'un individu, tandis que les *Essais* sont constitués par des tentatives de synthèses, où l'évolution de la personnalité n'est pas essentielle. Ce serait limiter considérablement la portée des *Essais* et en dénaturer la signification que de les réduire à cette définition très technique d'un genre dont l'histoire n'a vraiment commencé que dans la seconde moitié du XVIIIe siècle. Lorsqu'on utilise le terme d'« autobiographie » à propos des *Essais,* on prend donc ce terme sous son sens le plus large de texte où l'auteur parle essentiellement de lui.

L'IRONIE ET LE PROJET AUTOBIOGRAPHIQUE

Dans son sens moderne le plus courant (et ce sera le premier sens dans lequel nous la prendrons), l'ironie désigne le ton enjoué que certaines personnes donnent à leur conversation ou à leurs écrits, et qui en fait un badinage aimable et spirituel. Or ce ton, qui exclut la pose, l'autosatisfaction et le dogmatisme, situe dès l'abord le projet autobiographique. Il convient mal aux Mémoires, dont le propos est de relater avec sérieux les événements historiques auxquels l'auteur a été plus ou moins associé ; il ne peut être constant dans un journal intime, qui note des impressions au jour le jour, sans avoir le loisir de prendre le recul nécessaire. En revanche, il se manifeste avec fruit dans un récit rétrospectif, où le narrateur est amené à juger avec indulgence ses tâtonnements antérieurs et à en tirer une leçon actuelle pour ses lecteurs et pour lui-même. L'ironie annonce que l'auteur ne va pas se prendre pour un homme providentiel, un héros de légende ou un modèle à imiter, mais qu'il porte sur lui-même un regard critique. L'ironie est l'attitude d'un douteur plus que d'un docteur.

Plus précisément, dès ce premier sens du mot, on voit se révéler un procédé constant de l'ironie, qui consiste à insérer, entre le récit et le narrateur, une autre relation que celle qui est imposée par le monde. Le vécu n'est pas restitué tel qu'il a été plus ou moins subi ; l'auteur ne se contente pas de témoigner. L'homme ironique a dominé son destin et il en donne une vision maîtrisée (l'Iphigénie de Racine, qui peut se permettre de lancer des insinuations cruellement ironiques à son père, est sans doute moins vaincue par son destin que l'Iphigénie d'Euripide, uniquement accablée par la frayeur de la mort). L'ironie permet ainsi à l'auteur d'une autobiographie de prendre ses distances vis-à-vis de son passé ; elle accuse la distinction de l'homme, de l'auteur, du narrateur et de ses propres personnages. Le personnage qu'exprime le « je » dans les Essais n'est pas rigoureusement l'auteur qui se réfugie dans sa « librairie » pour y écrire, et qui est différent de Michel de Montaigne. L'ironie sert à souligner tous ces écarts.

IRONIE SOCRATIQUE ET AUTOBIOGRAPHIE

Mais de qui parle-t-on dans une autobiographie ? Et qui parle ? L'autobiographie vise à donner l'illusion que l'homme dont on parle possède une unité profonde, en dépit des apparences, et qu'il est le même que l'auteur du livre. Dans une page célèbre des Mémoires d'outre-tombe, Chateaubriand, à qui le chant d'une grive vient de restituer des impressions vieilles de trente-cinq ans, compare l'adolescent qu'il a été au quinquagénaire blasé qu'il est devenu ; et il ne peut s'empêcher de trouver un garant de la permanence de sa personnalité ; cet élément constant, c'est l'aptitude à la tristesse :

> Quand je l'écoutais alors (la grive), j'étais triste de même qu'aujourd'hui ; mais cette première tristesse était celle qui naît d'un désir vague de bonheur, lorsqu'on est sans expérience ; la tristesse que j'éprouve actuellement vient de la connaissance des choses appréciées et jugées.

L'auteur veut nous persuader que l'enfant rêveur, qui jouait dans les bois de Combourg, vit toujours dans le futur ministre des Affaires étrangères. De même, dans la lecture autobiographique que l'on peut faire de la *Recherche du temps perdu*, qu'on considère l'œuvre de Proust comme le récit de la découverte d'une vocation ou, selon l'expression de Georges Poulet, comme « le roman d'une existence à la recherche d'une essence », c'est le souvenir qui apporte la preuve qu'il existe quelque fixité et quelque consistance sous les métamorphoses successives du personnage, qui change perpétuellement en un autre. L'ironie est là pour nous rappeler qu'on peut douter de ces preuves de la permanence d'une personnalité, que, par exemple, on ne peut être à la fois dans le présent et dans le passé, qu'on ne peut revivre totalement une minute ancienne. Et c'est surtout l'affaire de l'ironie socratique, c'est-à-dire d'une méthode qui consiste à interroger en feignant l'ignorance, pour faire prendre conscience à son interlocuteur de sa propre ignorance (c'est le sens étymologique, le deuxième que nous retiendrons du mot « ironie »).

Léon Brunschvicg disait que la connaissance de Socrate était un thème d'ironie socratique. L'enseignement de Socrate fut exclusivement oral, et il s'adaptait à la personnalité de chaque auditeur : cette souplesse a provoqué les caricatures des uns et les hagiographies des autres. Fut-il le Cynique d'Antisthène, à la tenue négligée, bravant sans pudeur les convenances ? Fut-il l'impie et le corrupteur que dénonce l'acte d'accusation porté contre lui ? Fut-il le bourgeois amateur de chevaux et soucieux d'économie domestique qu'a retenu Xénophon ? Ou bien fut-il le Sage de Platon, conversant inlassablement avec des amis orphiques et pythagoriciens ? Sa vérité nous échappe, avec ce regard qu'il aimait à lancer en dessous, à la manière des taureaux. Cette personnalité insaisissable, qui incarne le refus absolu de toute écriture et par là de toute autobiographie, n'est-elle pas pourtant le symbole même du sort que subit souvent le héros d'une autobiographie ?

Certes, il dispose d'éléments stables, consignés par des actes officiels. Un nom, par exemple. Mais un nom n'a guère plus de rapport avec la personne qui le porte que le titre d'un chapitre des *Essais* n'en a avec la matière qu'il contient (III,9). Ainsi Montaigne a supprimé le patronyme Eyquem de son nom, pour conserver seulement celui de la terre que son arrière-grand-père a acquise une soixantaine d'années avant la naissance de l'auteur des *Essais,* accédant ainsi à la noblesse. Des deux noms qui lui restent, « l'un (Montaigne) est commun à (sa) race, voire à d'autres » ; quant à l'autre (Michel), « il est à quiconque aura envie de le prendre » :

> Je n'ay point de nom qui soit assez mien (II,16 ; voir, à ce sujet, *Nous,* *Michel de Montaigne,* d'Antoine Compagnon, Seuil, 1980) (...) Il y a le nom et la chose ; le nom, c'est une voix qui remerque (= désigne) et signifie la chose ; le nom, ce n'est pas une partie de la chose ny de la substance, c'est une pièce estrangère joincte à la chose, et hors d'elle. *(ibid.)*

Ironie des institutions : notre *identité* n'a qu'un lien conventionnel avec notre personne ; il n'est ni nécessaire, ni suffisant.

Le caractère interrogateur de l'ironie aide l'autobiographe à prendre conscience de ses contradictions. Dans l'autobiographie-récit, les contradictions apparaissent dans le cours d'une histoire ; dans les *Essais,* elles interviennent dans la synchronie, du fait que d'une édition à l'autre, Montaigne ajoute, mais ne corrige pas. Ainsi, dans l'enthousiasme de l'adolescence, puis sous l'influence de La Boétie, il a d'abord adopté des attitudes stoïciennes et, après Platon et Cicéron, il a écrit que philosopher, c'était apprendre à mourir (I,20). Plus tard, l'expérience lui dictera que : « La mort est le bout, non le but de la vie » (III,12). Il laissera coexister, dans son texte, ces deux jugements antagonistes. Pourquoi ? Parce qu'il s'interroge sans cesse, et parce qu'il considère d'abord qu'un auteur qui a livré un ouvrage au public, n'a plus de droit sur lui, et parce que, surtout, il ne considère pas que ses positions les plus récentes sur un problème sont nécessairement les plus vraies (III,9). L'ironie socratique nous révèle que notre personnalité est faite d'idées reçues auxquelles nous adhérons au gré des circonstances et de nos motivations. Vouloir découvrir a posteriori une unité dans une vie relève d'une illusion rétrospective.

A quoi bon écrire alors ? à quoi bon les *Essais* ? L'ironie définie comme une interrogation posée en feignant l'ignorance va, ici encore, nous aider à esquisser une réponse. Personne ne se laisse prendre à l'avant-propos de 1580, protestation de modestie qui, en réalité, pique la curiosité du lecteur. Mais lorsque le livre est achevé, que l'écriture a fixé une personnalité toute en nuance et consacré le

nom de l'auteur, un bilan se dégage dans les marges de l'exemplaire
de Bordeaux, au chapitre 18 du livre II : « Et quand personne ne me
lira, ay-je perdu mon temps de m'estre entretenu tant d'heures oisif-
ves à pensements si utiles et agréables ? » Et de conclure que l'auteur
a tiré de son livre un quadruple bienfait : 1. en écrivant, il a appris à
se connaître et à former sa personnalité ; 2. il a goûté un plaisir
intime et personnel ; 3. en éprouvant les difficultés de l'écriture, il a
appris à mieux apprécier les livres d'autrui ; 4. enfin, par ce détour,
il a pu dire certaines vérités à ses contemporains (sur l'intolérance, la
torture, les conquêtes coloniales, etc.). Se prendre soi-même pour
matière d'un livre constitue une aventure où l'ironie ne dit jamais son
dernier mot.

Dans le cas des *Essais,* c'est encore plus évident. Montaigne nous
livre un texte qui interpelle le lecteur, qui fait appel à sa collaboration
active. Sous une « allure poétique à sauts et à gambades » (III,9), le
diligent lecteur est sans cesse sollicité pour construire un discours
cohérent à partir d'un propos aussi discontinu qu'une conversation
familière. Cette éducation du lecteur constitue sans aucun doute la
vraie portée pédagogique des *Essais,* beaucoup plus que les principes
éducatifs exposés au chapitre 26 du premier livre et que la tradition
scolaire française a abusivement privilégiés dans le passé. L'esthétique du discontinu, qui a certes l'inconvénient de réserver la jouissance de cet art à une élite, comporte cependant le mérite d'exiger des
destinataires intelligents et attentifs. N'est-ce pas l'exigence fondamentale de l'attitude ironique ?

IRONIE RHÉTORIQUE ET AUTOBIOGRAPHIE

En fait, c'est surtout dans un troisième sens du terme qu'apparaît
cette exigence de l'ironie, dans le sens que lui donne la rhétorique
classique : figure qui consiste à dire le contraire de ce que l'on veut
faire entendre, avec une intention de raillerie et de reproche (voir
Pierre Fontanier, *Les Figures du discours,* Flammarion, 1968,
pp. 145-148). L'ironie s'exprime souvent par une antiphrase amusée
et édifiante, qui prend l'interlocuteur ou le lecteur non pas pour un
récepteur passif, mais pour un sujet libre, capable de comprendre ce
que l'on veut lui dire réellement, alors qu'on affirme précisément le
contraire. Ce tour, très français, a été souvent utilisé pour déjouer les
censures ou les préjugés : sous des allures bien-pensantes, l'auteur
subversif pousse sa pensée à l'absurde, en vue de provoquer une crise
dans l'esprit du lecteur. Le procédé n'est pas exempt de difficultés

pour qui veut connaître la vraie pensée de l'auteur. Soit la célèbre page de Montesquieu sur l'esclavage des nègres : « Les peuples d'Europe ayant exterminé ceux de l'Amérique, ils ont dû mettre en esclavage ceux de l'Afrique... » (*L'Esprit des lois,* XV,5). Faut-il n'y voir que l'énoncé objectif de la loi d'airain qui devait régir la vie économique jusqu'à la révolution industrielle du XIXe siècle, ou bien l'expression d'une ironie terrible ? On peut aisément s'y tromper, car la syntaxe de la phrase ironique est la même que celle de la phrase sincère, alors que l'ironie parlée est signalée par l'intonation.

Alcanter de Brahm avait imaginé un signe typographique spécial pour ponctuer la phrase ironique, comme le point d'interrogation ou le point d'exclamation indiquent le ton et l'intonation de la proposition écrite. Mais n'était-ce pas détruire l'ironie que de la signifier, l'ironie résidant dans la pluralité de lectures possibles et dans la confiance accordée au décrypteur pour déceler la « vraie » ? A défaut, les éditeurs modernes indiquent fréquemment l'intention ironique en faisant précéder le mot ou suivre la phrase de points de suspension :

... Pour braver les foudres des idéologies dominantes autant que pour secouer la somnolence des lecteurs pressés, l'autobiographe est fatalement amené à recourir à l'ironie. Léon Brunschvicg estimait que *l'Apologie de Raimond Sebond* (II,12) restait lettre morte pour qui n'avait pas la grâce d'ironie ; de nombreuses affirmations de Montaigne lui apparaissaient comme autant de paratonnerres destinés à détourner les foudres de l'Inquisition. Mais, à y regarder de plus près, la forêt des paratonnerres occulterait l'édifice ; et bien des assertions suspectes d'ironie sont à réputer sincères (voir Roger Pons, « Sur la pensée religieuse de Montaigne », dans *l'Information littéraire,* mars-avril 1954). L'ironie rhétorique permet ainsi à l'autobiographe de ne pas se peindre « tout entier, et tout nu » comme s'il se trouvait dans « ces nations qu'on dit vivre encore sous la douce liberté des premières lois de la nature » (Avant-propos de 1580). Dans le *Tableau de la littérature française,* paru chez Gallimard, en 1939, Descartes, obligé de ruser avec l'idéologie dominante, était présenté comme « le philosophe au masque » (n'écrivait-il pas : « *laruatus prodeo* » ?). Grâce à l'ironie, l'autobiographe peut graver dans l'écriture le départ entre les personnages que la prudence lui a imposés, les rôles qu'il a joués dans la société, ses motivations secrètes et difficiles à percevoir.

Quel plaisir en effet pour un ironiste que d'assister au spectacle de la comédie humaine ! L'art de l'ironiste s'apparente à celui du comédien : « Il faut jouer deuement nostre rolle, mais comme rolle d'un personnage emprunté. » (III,10) L'autobiographe, qui a su accepter de graves responsabilités dans une époque troublée, est placé au meilleur point de vue pour distinguer le masque de la personne. Certes la plupart de nos occupations relèvent de la comédie ; mais, ajoute Montaigne, nous manquons de discernement...

(...) nous ne sçavons pas distinguer la peau de la chemise. C'est assés de s'enfariner le visage, sans s'enfariner la poictrine. J'en vois qui se transforment et se transsubstantient en autant de nouvelles figures et de nouveaux estres qu'ils entreprennent de charges, et qui se prélatent (= se tiennent pour prélats) jusque au foye et aux intestins, et entreinent leur office jusques en leur garde-robe... (III,10).

L'ironiste nous enseigne à ne pas nous prendre exagérément au sérieux, même dans les fonctions les plus officielles ; le personnage ne doit pas tuer en nous la personne. L'autobiographe ne peut que tirer bénéfice de cette élucidation préparatoire.

La rhétorique classique a donc parfaitement raison de classer l'ironie parmi les figures d'expression par opposition. Et de s'émerveiller de voir « jusqu'où notre esprit porte l'artifice du discours » (Fontanier, *op. cit.*) puisqu' « il va jusqu'à énoncer à peu près le contraire de ce qu'il pense ou il fait comme s'il ne disait pas ce qu'il ne saurait en effet mieux dire ». L'ironie montre à l'évidence le pouvoir que possède le langage de se jouer de la réalité, de bafouer les contraintes et de créer un monde meilleur. Grâce à elle, l'autobiographe fera prendre conscience de la pesanteur des déterminismes et de la puissance de l'imaginaire dans le personnage qu'il analyse autant que dans son propre geste créateur.

Cependant l'ironie est aussi une arme terrible, dont on peut faire un mauvais usage. Lorsque, pour défendre son ami Arnauld menacé d'une condamnation en Sorbonne, Pascal découvre le journalisme clandestin et invente la campagne de presse, il utilise toutes les ressources du reportage fictif et de la presse à scandale ; il pratique, bien sûr l'ironie, mais en respectant trois règles : 1. parler avec vérité et sincérité ; 2. parler avec discrétion (n'évoquer que ce qu'il est utile de découvrir et taire ce qui ne pourrait que blesser, sans apporter aucun bénéfice) ; 3. réserver ses attaques aux erreurs, ne pas les lancer contre ce qui est sacré.

Ce petit traité du bon usage de l'ironie, qui figure dans la XIe Provinciale, vise surtout l'ironie employée contre les tiers et concerne avant tout les personnages secondaires d'une autobiographie. Mais il met en garde l'autobiographe contre tout excès de sévérité envers lui-même ; il l'oblige à éviter l'humilité autant que la jactance. Dans son célèbre portrait (II,17), Montaigne avait d'abord écrit : « Or je suis d'une taille au-dessoubs de la moyenne. » En 1588, il rectifie : « *un peu* au dessoubs ». Coquetterie tardive, ou, plutôt, souci de ne pas souligner ce qu'il considère comme un défaut ? De même, l'abus de l'ironie socratique est stérile : « Il faut faire la part de ceux qui, sans conclure, interrogent toujours. Ici, j'ironise à peine : il s'agit de la majorité. » (Camus, *Le Mythe de Sisyphe*, p. 19) Dans l'autobiographie, la vie se charge de conclure, et même un titre aussi énigmatique que celui des *Essais* finit par se fixer, en s'enrichissant : il semble désigner d'abord les mises à l'épreuve, par l'écriture, des qualités et du jugement de l'auteur, puis le résultat des expériences auxquelles Montaigne a soumis son esprit en tous domaines, enfin le bilan des expériences de l'ensemble de son existence.

Pour être pleinement efficace, surtout dans une autobiographie, l'ironie ne saurait être systématique. Comme la création littéraire, elle doit être intermittente et sporadique. C'est pourquoi l'hypothèse de Brunschvicg, selon laquelle l'*Apologie de Raimond Sebond* serait un texte entièrement ironique, est déjà a priori peu vraisemblable. Il est peu de spectacle aussi navrant que celui d'une personne qui essaie à tout prix d'ironiser, même lorsque son inspiration tarit. La lettre adressée par Jean-Jacques Rousseau au comte de Lastic, en décembre 1754, au sujet du pot de beurre de Mme Levasseur, est trop pesante pour emporter totalement l'adhésion du lecteur. Surtout lorsqu'il parle de lui-même, l'ironiste doit pratiquer l'art d'effleurer son sujet ; une trop lourde insistance détruirait son projet.

Pour être complet dans le champ de la rhétorique, faut-il rappeler ici la distinction que Bergson a proposée entre l'ironie et l'humour ?

Tantôt on énoncera ce qui devrait être, en feignant de croire que c'est précisément ce qui est : en cela consiste l'ironie. Tantôt, au contraire, on décrira minutieusement et méticuleusement ce qui est, en affectant de croire que c'est bien là ce que les choses devraient être : ainsi procède souvent l'*humour*. L'humour ainsi définie est l'inverse de l'ironie. Elles sont l'une et l'autre des formes de la satire, mais l'ironie est de nature oratoire, tandis que l'humour a quelque chose de scientifique. (*Le Rire*, 1899. — P.U.F., p. 97 de l'édition de 1947).

Si l'on accepte ces deux définitions, on mesure mieux les avantages et les risques respectifs de ces deux figures du discours en matière d'autobiographie : se décrire consciencieusement avec humour, c'est-à-dire en affectant de croire qu'on est un modèle de ce que l'homme doit être, conduit le lecteur, mais aussi l'auteur, à de sérieuses méprises (complaisance, autosatisfaction) ; l'ironie, en revanche, pratique un écart plus perceptible, car la feinte passe difficilement pour la réalité. C'est pourquoi l'ironie s'exprime souvent par ce qu'en littérature américaine Max Eastman appelle *understatement (Plaisir du rire,* SEDES, 1958, pp. 130 *sq.)* et que le traducteur, M. Paul Ginestier, rend par « action de sous-déclarer, l'opposé d'exagération ». Cette forme d'ironie consiste en une litote qui dirait moins, non pour suggérer plus, mais dans le seul dessein d'obtenir un effet plaisant. Elle s'apparente à cette ironie de défense, qui apparaît parfois dans les autobiographies, et qui n'est que l'expression de la retenue, de la discrétion, d'une pudeur extrême des sentiments et de la sensibilité. Ces types d'ironie sont toniques, vitaux, indispensables dans une autobiographie.

Dans la thèse qu'il a soutenue, en 1841, sur *Le Concept d'ironie constamment rapporté à Socrate,* Kierkegaard situe l'ironie et l'humour à la limite des trois sphères de l'existence (l'esthétique, l'éthique et la religieuse) ; mais l'ironie est aux confins de l'esthétique et de l'éthique, tandis que l'humour se tient aux frontières de l'éthique et du religieux. Est-ce à dire que l'ironie soit préférable dans les autobiographies, où le projet esthétique est primordial, tandis que l'humour, qui (soit dit en passant) est souffrance pour Kierkegaard, devrait être réservé aux confessions ? Kierkegaard remarque que l'ironie est le stade où le singulier prend conscience de son individualité par la liberté d'allure qu'il affecte à l'égard du donné immédiat. Il situe ainsi l'ironie au cœur même du projet autobiographique.

IRONIE ET « PACTE AUTOBIOGRAPHIQUE »

De tous ces problèmes, les autobiographes ont parfaitement conscience. Et la meilleure preuve en est que la plupart de leurs écrits commencent par ce que M. Philippe Lejeune appelle « le pacte autobiographique », où l'auteur apparaît comme élucidant ses intentions, précisant le style qu'il adopte et justifiant son entreprise. Ce préambule immanquable montre le caractère insolite de la démarche. Dans le conflit de pouvoirs que comporte toute vie sociale, l'autobiographe cherche à imposer sa personne ainsi que son écriture à ses contemporains et, si possible, à la postérité. Mais, en choisissant son personnage (il estompe souvent certains aspects de lui-même, par exemple, sa sexualité) et en imposant son ton (confidence, didactisme, vision romancée...), il substitue entre son personnage et ce qu'il a vécu d'autres rapports que ceux que la réalité lui avait imposés. Cette substitution appartient fondamentalement à l'attitude ironique ; l'ironie est au cœur même du « pacte autobiographique ».

Le scripteur s'interroge, en effet, d'abord sur lui-même, sur son passé, sur les grandes lignes directrices de sa vie ; il choisit ensuite son public (Rousseau cherche des juges impartiaux à qui confier son œuvre de justification et de réhabilitation, *les Confessions*) ; il produit enfin un texte qui, malgré qu'il en ait, ne déjouera pas les possibilités de lectures diverses (les éléments autobiographiques de *Manon Lescaut* peuvent être entendus comme une condamnation sévère du passé de l'auteur ou, au contraire, comme un retour complaisant sur des plaisirs dont il ne s'est pas détaché). Ne soyons pas dupes ! Ces protestations de modestie sont toutes marquées du sceau de l'ironie, consciente ou involontaire : Montaigne satisfait un besoin de confidence, frustré par la mort de La Boétie ; Rousseau veut prendre sa revanche sur ses détracteurs ; Chateaubriand compense le rôle politique qui lui a été refusé. Le « pacte autobiographique » est une ruse pour faire admettre l'imposition d'un pouvoir. Les motivations et les finalités invoquées constituent simplement de bons alibis. Mais nous plaindrons-nous d'avoir le poème de la vie de Chateaubriand ?

La dialectique de l'ironie et de l'autobiographie soulève ainsi des problèmes psychologiques, moraux et esthétiques. Psychologiques : une personnalité se pose en s'imposant (et s'impose en se posant) ; le ton ironique accrédite l'entreprise, et l'interrogation ironique favorise la démarche. Moraux : une vie est jugée ; mais les censures, les bienséances, les conventions de toutes sortes sont déjouées par l'ironie rhétorique. Esthétiques, enfin : l'artifice ironique a permis le discours autobiographique et a produit le texte. Mais il faut se garder de codifier avec une rigueur excessive les rapports de l'ironie et de l'autobiographie : ce serait mauvais signe, si nous pouvions cerner dans une définition rigide une notion aussi vivante, aussi souple, aussi fugace que l'ironie...

COLETTE-CHANTAL ADAM

Au siècle des Essais :
quelle conférence pour Montaigne ?

Résumé

L'étude a pour but de présenter Montaigne, son œuvre les
Essais et, plus particulièrement, « L'art de conférer ». Plutôt que
de dresser une fresque du XVIe siècle dans ses composantes tradi-
tionnelles (humanisme, réforme), il a paru plus souhaitable d'établir d'emblée des perspectives plus dynamiques — coexistence et
antinomies —, qui semblent mieux le caractériser. Ce siècle présente en effet l'originalité de ne pas trancher dans le nœud de ses
contradictions, mais de les assumer toutes. Montaigne y trouve
aisément sa place, lui dont l'œuvre, qui est essentiellement l'examen partiel d'une question, toujours sujet à être remis en cause,
veut traduire la mobilité de la conscience humaine. « L'art de conférer » peut être considéré comme un exemple de la coexistence
des contraires chez Montaigne.
 La conférence est-elle possible ? Quelles en sont les limites ?

Colette-Chantal Adam, ancienne élève de l'ENSET, est
agrégée de lettres modernes et docteur de 3e cycle en littérature provençale. Elle est professeur en classe préparatoire à l'Ecole nationale de chimie, à Paris.

A. Les oscillations d'un siècle

Avant d'essayer de déterminer ce que Montaigne a voulu faire dans son œuvre en général, et plus particulièrement dans le chapitre 8 du livre III, *l'Art de conférer*, il semble souhaitable de tracer l'esquisse d'un tableau du XVIe siècle — époque fort lointaine pour beaucoup d'entre nous, qui risquons aussi d'être rebutés par une langue que nous ne maîtrisons pas toujours.

Ce XVIe siècle, est-ce la boulimie de vivre des géants de Rabelais, est-ce l'introduction d'un raffinement mondain et esthétique à la cour de François 1er, est-ce le retour aux sources antiques dans un éblouissement lumineux balayant les ténèbres médiévales — ou du moins ce qu'on croyait être les ténèbres médiévales ? Ce siècle se présente, je crois, comme une époque difficile à saisir, parce que complexe et même contradictoire.

Même si Gargantua devait à son programme éducatif de se ressourcer à l'étude des disciplines anciennes sans lesquelles « c'est honte qu'une personne se dise savant » (*1*, ch. III)*, déjà Bernard de Chartres, dans une métaphore audacieuse, qualifiait les Anciens de Géants, sur les épaules desquels devaient se jucher les nains de son époque, c'est-à-dire le XIIe siècle. Rabelais donc avait été précédé par Bernard de Chartres pour rendre hommage à une culture antique dont il se sentait vivement débiteur.

En sens inverse, par ailleurs, au XVIe siècle même, on a pu rencontrer des penseurs, comme l'analyste politique Jean Bodin, qui ont émis quelques réserves quant à leur dette culturelle à l'Antiquité :

> Platon et Aristote ont tranché si court leurs discours politiques qu'ils ont plutost laissé en appétit que rassasié ceux qui les ont leus : joint aussi que l'expérience depuis deux mille ans ou environ qu'ils ont escrit, nous a fait cognoistre au doigt et à l'œil que la science politique estoit encore de ce temps-là cachée en ténèbres fort espesses.

---

* Les chiffres en italique renvoient aux ouvrages énumérés dans la note bibliographique, à la fin de cette étude.

Dans ce domaine précis de la relation que la Renaissance entretient avec l'Antiquité, il est d'ores et déjà possible de noter que les jugements sont partagés, et qu'ainsi il convient de ne pas proposer des affirmations péremptoires et définitives.

De même, ce siècle qui célèbre la beauté des châteaux, qui s'intéresse à l'architecture ou à la peinture sous l'influence des artistes italiens venus à la cour française, qui voue un véritable culte à la beauté féminine, produira néanmoins des œuvres littéraires d'un réalisme morbide et cru. Pensons aux vers célèbres de Chassignet, évoquant la décompositon d'un cadavre :

> *Mortel pense quel est dessous la couverture*
> *D'un charnier mortuaire un cors mangé de vers,*
> *Descharné, desnervé, où les os descouvers,*
> *Depoulpez, desnouez, délaissent leur jointure :*
> *Icy l'une des mains tombe de pourriture,*
> *Les yeus d'autre côté destournez à l'envers*
> *Se distillent en glaire, et les muscles divers*
> *Servent aux vers goulus d'ordinaire pasture.*

Ces vers ne sont pas ceux d'un écrivain marginal, s'intéressant isolément à la mort dans ses manifestations les plus répugnantes. N'oublions pas que ce siècle fastueux et mondain a été aussi celui des guerres de religion, des supplices et des massacres. Le spectacle quotidien de l'horreur ne pouvait laisser insensibles des écrivains témoins de leur temps.

Un survol rapide de ce siècle nous laisse donc perplexes. Cette période n'est ni facile à définir, ni facile à analyser. Elle ne se réduira pas aux affirmations simplistes, mais exigera de notre part un effort d'attention à sa complexité, c'est-à-dire à sa foisonnante richesse. Avec un regard neuf, dégagé de tout préjugé, tâchons de rencontrer cette époque qui a vu naître et écrire notre auteur, pour lequel la contradiction, la mobilité sont inhérentes à l'homme : selon Montaigne, les actions humaines « se contredisent communément de si estrange façon, qu'il semble impossible qu'elles soient parties de mesme boutique » (2, II, ch. 1). Dans une autre formule vigoureuse, il avoue : « Je donne à mon asme tantost un visage, tantost un autre, selon le costé où je la couche. » Ce XVIe siècle, où la pensée et le sentiment glissent d'un extrême à l'autre, oscille entre des données contradictoires. Essayons de caractériser quelques-unes de ces oscillations.

I. SCIENCE ET OCCULTISME

Le XVIᵉ siècle est avide de connaissances, et c'est dans un certain nombre de communautés que les hommes de la Renaissance se rencontrent pour échanger et partager le savoir. Les collèges, dont un des plus célèbres est le collège de Coqueret, réunissent l'élite du savoir, mais au prix d'une discipline rigoureuse, où les sévices corporels sont monnaie courante. Montaigne parle de « geoule de jeunesse captive » et Erasme évoque le « crépitement des férules, sifflements de verges, cris et sanglots, menaces épouvantables ». On apprend beaucoup dans les collèges et Rabelais n'a rien inventé ; mais plus qu'à la spéculation intellectuelle, on s'intéresse à la mémoire et aux « têtes bien pleines ».

Une autre communauté où se rencontrent les hommes du XVIᵉ siècle, ce sont les salons mondains, qui préfigurent déjà un peu les ruelles précieuses du XVIIᵉ siècle. Finalement, les académies sont peut-être le lieu où les joutes intellectuelles sont les plus fécondes. On parle et on argumente, en toute liberté : « Le terme d'académie était devenu une formule brillante et commode pour créer, en marge de l'enseignement officiel, des centres d'études où le plus souvent, à bâtons rompus, chacun était libre d'exprimer sa pensée sur les problèmes les plus divers. » (Raymond Marcel, *Marsile Ficin*) Ronsard et Baïf, à l'académie de Coqueret, dirigée par Dorat à partir de 1545, discutent d'astronomie et commentent la théorie de Copernic. Et voilà réconciliées, grâce à l'Académie, poésie et science. Ceci peut nous séduire, hommes du XXᵉ siècle, pour lesquels la spécialisation semble être le mot-clef de notre civilisation !

Néanmoins nous devons tempérer notre étonnement. L'académie demeure au fond le lieu privilégié où l'écrivain, l'intellectuel, le poète apprennent à utiliser un langage poétique pour faire passer une vérité morale. Ecoutons ce que dit Ronsard, dans l'*Hymne de l'automne,* à propos de sa propre expérience du collège de Coqueret :

> *(Dorat)... qui longtemps fut mon maître,*
> *M'apprit la poésie, et me montra comment*
> *On doit feindre et cacher les fables proprement,*
> *Et à bien déguiser la vérité des choses.*

L'académie propose donc encore une approche livresque du savoir : le livre est tout-puissant, révéré, et l'expérience, que Rousseau dans l'*Emile* proposera comme condition fondamentale d'une formation épanouissante, paraît bien absente du programme dispensé par les académies.

Ainsi, dans les lieux de rencontre intellectuelle, on discute beaucoup, on joue sur et avec les mots, mais on ne fait pas vraiment avancer une recherche scientifique. Les chercheurs seront des solitaires : Copernic élabore, seul, pendant trente-six années, son système astronomique ; Bernard Palissy passe la plus grande partie de sa vie « à chercher les émeaux, comme un homme qui tâte en ténèbres ». Il a néanmoins l'originalité de faire une communication de ses découvertes en 1580, parce qu'il pense que son « art de terre » peut servir les intérêts économiques de son pays. Mais il est bien un des seuls à agir ainsi, et, dans l'ensemble, nous devons donc remarquer que la recherche est solitaire et les découvertes jalousement gardées par le chercheur. On étudie dans le secret des cabinets, et on est coupé le plus souvent de la réalité environnante. Malgré la découverte de l'Amérique, malgré les explorations maritimes, on s'intéresse bien peu à ce qui est lointain.

Il faudra attendre Montaigne pour que les penseurs du XVIe siècle s'ouvrent enfin à la réalité plus lointaine. Montaigne, ayant rencontré à Rouen en octobre 1562 trois indigènes du Brésil, s'est intéressé à leurs coutumes et a surtout posé le principe de la relativité de la vérité : « Comme de vray il semble que nous n'avons autre mire de la vérité et de la raison que l'exemple et idée des opinions et usances du païs où nous sommes » (*2*, I, ch. 31).

Il ne faut d'ailleurs pas s'étonner d'un tel formalisme. La foi dans les textes anciens et bibliques est entière et l'habitude de passer au crible de l'esprit critique les enseignements proposés par les livres reconnus comme modèles encore bien peu répandue. D'autre part, il convient de constater l'indigence des moyens mis à la disposition des savants : pas de loupes, pas de microscopes ou de télescopes. Les calculs mathématiques sont mal réalisés. Le langage même est bien pauvre : les notions de causalité ou de synthèse sont encore totalement absentes des mentalités du XVIe siècle.

Il faudra donc franchir encore de nombreux obstacles pour que la science connaisse un fondement solide, dégagé de tout un arsenal peu rigoureux de contraintes. En particulier, la conception médiévale d'un monde terrestre hiérarchisé, organisé à l'image du monde céleste, est très florissante, et elle arrête le progrès scientifique. L'homme, microcosme perdu dans le macrocosme, voilà une image fort répandue. On pense que l'analogie est le principe essentiel par lequel passent tous les constituants de l'Univers : la chair de l'homme représente la terre, ses os les rochers, ses veines les fleuves. Le XVIe siècle établit donc un vaste système d'affinités profondes, tisse déjà un vaste réseau de correspondances. Souvenons-nous du *Jules César*

de Shakespeare : la conception élisabéthaine du monde était fondée
sur ces analogies entre le microcosme et le macrocosme, et César,
« constant comme l'étoile polaire » (III, 1), symbolisait l'autorité
suprême sur terre, comme Dieu représentait l'autorité suprême au
ciel. Romano Guardini évoque très bien cette vision cyclique et
ordonnée du monde dans un passage de son ouvrage *La Fin des
temps modernes (3)* :

L'ensemble du monde avait son archétype dans le Logos. Chacune de ses
parties réalisait un aspect particulier de cet archétype. Les symboles particuliers étaient en rapport les uns avec les autres et formaient un ordre aux articulations multiples. Les anges et les bienheureux dans l'éternité, les astres
dans l'espace cosmique, les choses de la nature sur la terre, l'homme et sa
structure intérieure, aussi bien que les couches et les fonctions diverses de la
société humaine — tout cela apparaissait comme une imbrication de symboles qui avaient une signification éternelle.

Cette conception hiérarchisée et symbolique est caractéristique des
mentalités des hommes du Moyen-Age.

Pour l'homme du XVIᵉ siècle, ces analogies sont significatives de
la volonté de Dieu de faire connaître son projet à l'homme. Paracelse
affirme catégoriquement :

Ce n'est pas la volonté de Dieu que ce qu'Il crée pour le bénéfice de l'homme
et ce qu'Il lui a donné demeure caché... et même s'Il a caché certaines choses,
Il n'a rien laissé sans signes extérieurs et visibles, avec des marques spéciales,
mais tout comme un homme qui a enterré un trésor en marque l'endroit afin
qu'il puisse le retrouver.

Cette présence de signes n'est pas gratuite : pour savoir, il faut interpréter les signes — la possession de la connaissance est soumise à la
possession des signes. Cette démarche relève de l'occultisme. Les
signes célestes sont souvent spectaculaires. Pensons à l'agonie du Sei-
gneur de Langey, dans le *Quart Livre* de Rabelais :

Comme le prudent médecin, voyant par les signes prognosticz son malade
entrer en decours de mort, par quelques jours davant advertist les femme,
enfans, parens et amis, du decès imminent du mary, père, ou prochain,
affin, qu'en ce reste de temps qu'il a de vivre, ilz l'admonestent donner ordre
à sa maison, exhorter et benistre ses enfans, recommander la viduité de sa
femme, déclaircir ce qu'il sçaura estre nécessaire à l'entretenement des pupil-
les, et ne soyt de mort surprins sans tester et ordonner de son ame et de sa
maison : semblablement les cieulx bénévoles, comme joyeulx de la nouvelle
réception de ces béates ames, avant leur décès samblent faire feuz de joye par
telz comètes et apparitions météores, les quelles voulent les cieulx estre aux

humains pour prognostic certain et véridicque prédiction que, dedans peu de jours, telles vénérables ames laisseront leurs corps et la terre. (*1, QL,* ch. 27)

La nature est donc conçue comme un livre ouvert, un ensemble de signes que l'homme s'efforcera de déchiffrer. La conception de l'univers est cyclique, et s'accompagne même d'un certain pessimisme que traduit Machiavel dans ces lignes extraites du *Discours sur la première Décade de Tite-Live* :

> En réfléchissant sur la marche des choses humaines, j'estime que le monde demeure dans le même état où il a été de tout temps ; qu'il y a toujours la même somme de bien, la même somme de mal, mais que ce mal et ce bien ne font que parcourir les divers lieux, les diverses contrées.

Certes Du Bellay, dans la *Défense et illustration,* suggère l'idée d'une mutation entraînant le progrès et envisage le dépassement des Anciens. Mais l'époque n'analyse pas véritablement la notion de progrès qu'elle assume mal, et oscille d'une vision cyclique, inspirée par l'Antiquité, à l'idée chrétienne de progrès, ce qui fait dire à P. Mesnard dans son ouvrage *Méthode de l'histoire* : « Nous saisissons là cette étrange alliance entre la notion d'un progrès de l'humanité issue du christianisme et la notion d'un retour périodique due au déterminisme astrologique des Anciens qui est certainement l'un des nœuds les plus obscurs de l'esprit de la Renaissance. »

II. *L'OUVERTURE AUX AUTRES ET LA RETRAITE*

De même que le savant oscille entre la vie communautaire des académies et l'étude dans son cabinet ou son laboratoire, de même l'homme hésite entre la vie mondaine et la retraite. La cour, brillante et raffinée, où se multiplient les fêtes et les bals, attire les écrivains, en quête d'un ordre nouveau, qui ne soit pas fondé sur les rapports de force. La fête permet de créer une « hiérarchie à l'envers », un autre type d'univers, et le masque, fort à la mode au cours des réunions mondaines, transforme les individus, les « aliène » et par là même permet d'instaurer des relations nouvelles, spontanées, authentiques, et non pas codifiées par un réseau de règles contraignantes.

C'est dans le cadre de cette cour brillante et fastueuse que s'est développé le personnage du courtisan, tel que Castiglione l'a défini, à la demande de François 1er : un homme qui pratique les arts, la poésie, la danse, la conversation ; un homme qui saura développer les liens spirituels avec la dame de ses pensées ; un serviteur loyal et éclairé de son prince. Cet idéal, séduisant, pouvait être pourtant flétri par la recherche de la réputation et de l'apparence. Souvenons-nous du sonnet 86 des *Regrets* de Du Bellay où le poète, déçu par la cour papale, trace un portrait bien satirique du courtisan romain qui ne devait pas être très différent du courtisan français !

Aussi certains peuvent-ils préférer une fête plus populaire, comme le Grangousier de Rabelais qui ne dédaigne aucun des propos des « bien yvres » — les échanges verbaux non conventionnels libèrent l'homme, les jurons remplacent les propos feutrés de salon, le corps retrouve sa place à l'intérieur de la grosse fête bouffonne. Ce rire immunise la pensée contre la peur de la mort, il est une saine réaction de vitalité anticonformiste.

D'autres réagiront aux conventions de la cour mondaine en se retirant. Ronsard avoue son goût pour la solitude dans *l'Hymne à l'Automne* :

> *Je n'avais pas quinze ans que les monts et les bois*
> *Et les eaux me plaisaient, plus que la cour des Rois.*

Même si Ronsard a vécu à la cour, et y a trouvé la gloire, il n'en reste pas moins qu'il a toujours chanté les plaisirs de la nature et de la solitude.

Mais c'est Montaigne surtout qui a chanté la retraite : « Ce n'est pas que le sage ne puisse partout vivre content, voire et seul en la foule d'un palais ; mais, s'il est à choisir, il en fuira, dist-il, mesme la veue » (I, 39). Ne faisons pas d'erreur : Montaigne ne fuit pas la vie sociale ; au contraire, il lui semble nécessaire pour chacun de jouer un rôle au sein de la collectivité : « Un honneste homme n'est pas comptable du vice ou sottise de son mestier et ne doibt pourtant en refuser l'exercice : c'est l'usage de son pays, et il y a du proffict. » (III, 10) Mais, après ce temps de service, il faudra se retirer pour s'approfondir : « C'est assez vescu pour autruy, vivons au moins ce bout de vie pour nous. Ramenons à nous et à notre aise nos pensées et nos intentions. Ce n'est pas une légère partie que de faire seurement retraite ; elle nous empesche assez sans y mesler d'autres entreprises... La plus grande chose du monde, c'est de savoir estre à soy. » (I, 39) Ainsi un ordre personnel et intérieur s'oppose-t-il à un ordre collectif et extérieur. De la Cour à la Retraite, ces deux oscillations expriment encore toutes les ambiguïtés d'un siècle qui cherche à analyser le développement de l'individu, dans ses rapports avec autrui et avec lui-même.

III. CONCLUSION

Nous pouvons donc noter, à travers la présentation de deux séries d'antinomies qui nous ont paru fondamentales, combien ce XVIᵉ siècle peut nous ménager de surprises, combien il ne se laisse pas facilement analyser. La difficulté à saisir ce siècle de la Renaissance et de l'Humanisme ne doit pas pour autant nous conduire à adopter une attitude de résignation ; au contraire, des difficultés doit naître un intérêt plus vif, plus soutenu pour tenter l'exploration de l'œuvre de Montaigne, et plus précisément de *l'Art de conférer*. Notre auteur nous séduira par ses propos, ses réflexions, le caractère moderne de ses points de vue. De l'apparent désordre de son exposé surgira une pensée féconde et ferme, originale et antidogmatique, jeune peut-être dans son irrespect à l'égard des idées reçues et de toutes les formes d'autorité, politique, religieuse, mais surtout intellectuelle.

B. Présentation des *Essais*

La retraite anticipée de Montaigne, dès 1571, à l'âge de 38 ans, est-elle la « fausse sortie » d'un gentilhomme périgourdin, disponible pour occuper plus tard d'importantes fonctions officielles — 1571 est la date à laquelle Montaigne est fait par Charles IX chevalier de l'ordre de Saint-Michel, et gentilhomme ordinaire de la cour du roi — ou bien traduit-elle réellement un amour authentique de la solitude ? En tout état de cause, Montaigne agacé par les tracasseries de la vie familiale et de la gestion de son domaine cherche à « soustraire ce seul coin à la communauté et conjugale et filiale, et civile » (III, 3). Ce « songecreux », ce grand lecteur, va profiter de ces heures de solitude dans le cadre douillet et confortable de sa « librairie » pour écrire, enregistrer ses mots sur ses lectures, et surtout « mettre en rôle » ses idées, ses pensées, ses songes. En accumulant ses notes, il prépare déjà son œuvre : « La vie de Montaigne et la vie des *Essais,* deux vies à la vérité qui courent parallèlement et très proches l'une de l'autre. » (P. Villey)

I. LA PUBLICATION DES ESSAIS :
   LES TROIS ÉTATS DU TEXTE

La genèse de l'ouvrage date des années 1571-1572. Dans ces années-là, le maître à penser de Montaigne est Sénèque et son modèle

Caton le Jeune. Cette influence sera nette dans le livre I, alors que le livre II, composé vraisemblablement dans les années 1572-1574, portera la marque des *Œuvres morales* de Plutarque. La première édition des *Essais* paraît à Bordeaux en 1580 : elle comprend deux livres. Cette première édition est réimprimée, sans grands changements, en 1582 et 1587.

Deuxième étape : en 1588, Montaigne publie une deuxième édition des *Essais,* à Paris. L'édition comprend un troisième livre et « six cents additions aux deux premiers ». En effet, l'auteur introduit des notes nouvelles, des citations et des commentaires nouveaux, qui confirment ou infirment le texte original.

Enfin, entre 1589 et sa mort (1592), il continue à « farcir » ses trois livres de ce qu'il appelle des « allongeails », ces additions qu'il portait en marge de son texte. Il n'y a pratiquement pas de ratures, pas de retraits, mais au contraire un enrichissement progressif et souple du texte primitif.

Après sa mort, ses exécuteurs testamentaires, c'est-à-dire son ami Pierre de Brach, et sa « fille d'alliance », Mlle de Gournay, qu'il a rencontrée en 1588 et qui admire profondément son œuvre, publient en 1595 une édition complète des *Essais* (texte original et « allongeails »). Mais le poète Pierre de Brach et Mlle de Gournay corrigent quelque peu les annotations... Il faudra donc revenir au texte exact dit « Exemplaire de Bordeaux », annoté de la main de Montaigne. C'est ce texte qui, depuis 1906, est proposé à la lecture, car c'est le texte authentique.

Les *Essais* de Montaigne se présentent donc, typographiquement, comme un texte complexe où apparaissent les trois couches successives de l'écriture. Quelquefois les trois éditions sont symbolisées par les lettres A, B et C ; d'autres fois, comme c'est le cas dans l'édition Garnier Flammarion, l'édition de 1588 est symbolisée par deux traits obliques parallèles et celle de 1598 par trois traits obliques parallèles*.

Il faut donc absolument tenir compte de ces trois couches superposées du texte pour bien lire les *Essais* de Montaigne. Ses additions témoignent souvent d'une recherche, d'une évolution morale et elles mettent en lumière le cheminement de la pensée de l'auteur. Les additions tardives traduisent les différentes étapes par lesquelles est passé Montaigne, qui, dialoguant avec lui-même, éclaire ses premiers propos, les nuance ou les contredit.

---

* Dans le présent recueil, nous utilisons, pour distinguer les ajouts, lesdits traits parallèles : // pour la 2e Edition (1588) ; /// pour la 3e (1598). (N. de l'E.)

Dans son ouvrage *Lire les Essais de Montaigne,* J.Y. Pouilloux, analyse bien la méthode et la démarche de notre auteur :

> Les additions... ne vont pas toujours, elles vont même rarement dans la direction qu'avait prise le texte premier. A plus d'une reprise, l'ajout provoque une rupture, une discontinuité parfois peu apparente, mais dont l'effet importe — ou devrait importer — à qui est en quête d'un sens. Les sédiments de différente époque ne possèdent pas toujours une nature identique, et quand cette identité est acquise, une contradiction éclate souvent entre le discours premier et le discours second.

Par exemple, dans le chapitre 8 , nous trouvons (p. 138) un dernier « allongeail » à propos des qualités de la communication : « /// Elle n'est pas assez vigoureuse et généreuse, si elle n'est querelleuse, si elle est civilisée et artiste, si elle craint le hurt et les allures contreintes. » Cet ajout (troisième couche) développe ce qui a été écrit précédemment, mais avec une intention esthétique évidente pour valoriser le jugement : utilisation du rythme ternaire dans les trois hypothétiques, utilisation des rimes intérieures (généreuse/querelleuse) et des allitérations en $[S]$ ou en $[K]$ qui soulignent l'âpreté et l'agressivité dont doivent faire preuve ceux qui communiquent authentiquement. Nous n'avons donc pas affaire à un ouvrage chronologique, dans lequel le livre III serait la somme et proposerait un état final de l'investigation intellectuelle. Au contraire, chacun des trois livres a été constamment repensé et remanié pour « coller » au mieux au projet vivant et mobile de Montaigne.

II. QU'EST-CE QU'UN ESSAI ?

Aux épreuves du baccalauréat, en langue et en français, les candidats peuvent s'adonner — puisqu'ils ont le choix entre trois sujets — à la confection d'un Essai, c'est-à-dire une composition, une rédaction en langue française ou étrangère, à partir d'un thème donné. Il leur sera demandé de présenter un commentaire personnel et original à propos d'un jugement ou d'un thème littéraire, esthétique ou sociologique. Le développement devra être ordonné afin de résoudre un problème posé au départ, et étayé par des arguments empruntés à l'expérience personnelle ou à la culture littéraire.

Posons-nous donc la question de savoir si les *Essais* de Montaigne peuvent, à quelque égard que ce soit, ressembler à ce type d'essai scolaire, et pour ce faire, examinons les directions que peut prendre une définition de l'Essai.

— Les *Essais* peuvent être un coup d'essai, au sens où l'entend Antoine de Laval, géographe du roi, lorsqu'il dit de Montaigne :

Il a entendu « *conatus,* comme dit le poète, *quidquid conatar dicere versus erat* »... essayer, tenter pour voir s'il réussirait à écrire, à faire des livres, comme les apprentis. Ils s'essaient à faire un ouvrage. C'est un mot qui marque la modestie de l'auteur qui se moque des grands faiseurs de livres.

Cette idée de tâtonnements, de recherche laborieuse dont le résultat n'est pas assuré, dont la réalisation risque de ne pas être entreprise, nous la trouvons sous la plume même de Montaigne, lorsqu'il écrit : « Tel fait des *Essais* qui ne saurait faire des effets. » La démarche de l'écriture est sobre, antirhétorique, consciente qu'elle n'est pas encore parvenue à la perfection de l'œuvre d'art ; elle souligne la même démarche intellectuelle d'un esprit attentif, en alerte, guettant les moindres fluctuations d'une pensée mobile. Plus que le résultat de la recherche, ce qui importe, c'est la recherche guidée par l'ensemble des expériences.

— Ceci nous conduit à noter une deuxième direction. Quand Montaigne écrit, au chapitre XIII du Livre III (« De l'expérience »), « cette fricassée des Essais de ma vie », il met l'accent sur le rôle de l'expérience personnelle, sur ce que l'ensemble de notre vie apporte comme confirmations ou démentis à nos idées ou à nos préjugés. « Nous essayons chaque jour », lorsque nous mettons en parallèle nos entreprises, les actes que nous posons, les engagements que nous prenons dans tous les domaines concrets de la vie, et les idées que nous propose notre vie intellectuelle. Toute remise en cause d'un principe à la lumière de l'expérience peut être source d'Essai. A cet égard, le recueil dans son ensemble, somme de la vie et de la pensée de Montaigne, mérite bien son titre.

— Par ailleurs, lorsque Montaigne, évoquant La Boétie, l'ami de son cœur, écrit que ce dernier composa son discours « par manière d'Essai en sa première jeunesse », notre auteur met ici l'accent sur la liberté de la méthode, mettant en jeu une imagination débridée qui interpelle les actes produits comme les souvenirs. Cette phrase de Montaigne nous indique la façon dont est composé un Essai plutôt que ce qui est dit.

— Enfin, nous trouvons dans l'ouvrage de Hugo Friedrich, *Montaigne (4,* p. 358), une autre interprétation du mot « essai ». L'auteur propose comme étymon le mot latin *exagium* qui signifie « poids, pesée » ; il complète ainsi ce que nous avions proposé initialement et insiste sur l'idée de méthode de travail : « L'Essai ne figure pas un résultat enregistré, mais un processus qui s'écrit, exactement comme la pensée qui parvient ici à l'épanouissement spontané en s'écrivant. » (*Ibid.*, p. 362) Cette méthode qui consiste à mettre en ordre la vie désordonnée, à s'arrêter sur sa vie à un moment précis pour y réfléchir, est donc ponctuelle, fondamentalement inachevée, toujours sujette à un réexamen. C'est, je crois, le point essentiel de la définition de l'Essai : ce genre littéraire propose un arrêt sur la vie, un examen partiel et provisoire d'une question précise. C'est ce que Montaigne indique lorsqu'il écrit : « Quant aux facultés naturelles qui sont en moy, de quoi c'est *ici* l'Essai... » *Ici*, et *ici* seulement ; *hic et nunc,* ici et maintenant. Auparavant comme plus tard, l'étude pourrait être totalement infirmée.

Les *Essais* sont donc une tentative d'analyse intérieure et de connaissance de soi afin de se mieux connaître. Souvenez-vous du « Connais-toi toi-même », devise inscrite au fronton du temple de Delphes : Montaigne y fait allusion (p. 214) à la fin du chapitre 9 du Livre III (« De la vanité ») :

C'estoit un commandement paradoxe que nous faisoit anciennement ce dieu à Delphes : « Regardez dans vous, reconnaissez-vous, tenez-vous à vous ; vostre esprit et vostre volonté, qui se consomme ailleurs, ramenez la en soy ; vous vous escoulez, vous vous respandez ; appilez-vous (= délivrez-vous), soutenez-vous ; on vous trahit, on vous dissipe, on vous desrobe à vous. Voy-tu pas que ce monde tient toutes ses veues contraintes au dedans et ses yeux ouverts à se contempler soy-mesme ? C'est toujours vanité pour toy, dedans et dehors, mais elle est moins vanité quand elle est moins estendue... »

Montaigne insiste lourdement, dans l'ensemble de son œuvre, sur l'intérêt de l'analyse de soi, lorsque cette analyse est sincère et complète. Par anticipation, il répond dans *l'Art de conférer* à Rousseau : « Je me présente debout et couché, le devant et le derrière, à droite et à gauche, et en tous mes naturels plis. » Soulignons l'adjectif « naturels » : Montaigne revendique l'authenticité, la spontanéité et la sincérité de sa démarche. Dans ces conditions, il devient difficile d'admettre la critique de Pascal : « ... le sot projet que Montaigne a eu de se peindre ». Non, il n'est pas sot, ce projet qui nous permet de rencontrer un homme faisant cet effort difficile d'arrêter sa vie à certains moments pour se regarder vivre et donc être.

Si nous nous penchons maintenant sur des problèmes plus formels (titre, structure d'un essai), nous pouvons noter que le titre ne correspond pas toujours au contenu de l'Essai en question. Montaigne lui-même le fait remarquer : « Les noms de mes chapitres n'en embrassent pas toujours la matière : souvent ils la dénotent seulement par

quelque marque. » (III, ch. 9) Parfois cependant le titre donne
d'emblée le thème du chapitre. C'est ainsi qu'au Livre III, le chapitre 3 traitera effectivement des « Trois commerces », celui des hommes, celui des femmes, celui des livres. De même le chapitre 13, « De
l'expérience », est tout entier centré sur la supériorité de l'expérience,
diverse, multiple, par rapport à la connaissance rationnelle. Ce chapitre de conclusion met clairement en évidence la grande règle du
« Connais-toi toi-même » et du « Nature est un doux guide ». Le
chapitre 8 — celui qui est à notre programme — *De l'Art de
conférer,* est bien un traité de conversation mondaine. Nous l'analy-
serons plus tard en détail. Soyons donc circonspects lorsque nous
ouvrons l'ouvrage de Montaigne, et ne préjugeons pas le thème en
lisant seulement le titre d'un chapitre.

Quant au plan, il est souple, peu structuré ; la composition est
musicale, c'est-à-dire qu'un thème, annoncé, est repris en forme de
variations qui assurent l'unité de la structure. Mais les digressions ne
manquent point, qui traduisent la mobilité de la pensée. Montaigne
est obligé d'utiliser des chevilles de liaison pour permettre à son lecteur de le mieux suivre. Donnons, pour exemples, au chapitre 8 des
expressions telles que « Or, j'estois sur ce point... » (p. 149) ou
« Mais suyvons » (p. 142). Montaigne avertit son lecteur qu'il
referme sa parenthèse et revient au thème central. Entre temps, il se
sera laissé aller à la magie d'un mot, d'une idée qui auront donné
l'impulsion à une autre analyse, à une autre réflexion un peu secondaires par rapport à l'idée principale.

Montaigne a peut-être été conscient des problèmes que pouvaient
poser ces digressions, puisque son livre III comporte moins de chapitres, plus longs, comme s'il avait voulu proposer une pensée plus
organisée même si elle est plus complexe. Il écrit lui-même :

Parce que la coupure si fréquente des chapitres, de quoy j'usais au commen-
cement, m'a semblé rompre l'attention avant qu'elle soit née... Je me suis
mis à les faire plus longs, qui requièrent de la proposition et du loisir assigné.
(III, ch. 9)

Mais, en tout état de cause, il caractérise bien la nature de l'essai « à
sauts et à gambades » dans le même chapitre : une écriture en mouvement qui peint ce qui est en train de se faire, qui examine partiellement et provisoirement une question. Cette caractéristique de la relativité, de la mobilité, Montaigne l'applique d'ailleurs à son jugement
personnel sur son œuvre : « (Je) loge les *Essais* tantost bas, tantost
haut, fort inconstamment et doubteusement. » (III, ch. 8, p. 154)

— Enfin, le livre est surtout l'analyse du moi, physique et moral, dans ses particularités, sans aucune exclusive. Nous suivrons aussi bien la progression de sa maladie que ses goûts culinaires, que son plaisir de voyager ou de lire. Le livre découvre un homme dans ses mutations, dans ses changements, dans ses contradictions. Cette peinture du changement peut relever de l'esthétique baroque qui met en évidence les altérations, les incohérences comme signe privilégié

Peinture du moi dans son dynamisme, dans son aspect inachevé, les *Essais* ont été à l'origine d'une série d'ouvrages dont les auteurs laisseront courir leur pensée, sans but ni dessein précis, en toute liberté, dans le refus de toute structure rhétorique.

III. *LE CONTENU DES* ESSAIS

De quoi sont faits les *Essais* ? De la personnalité de Montaigne surtout, mais aussi de ce qu'il sait, de ce qu'il a vu, de ce qu'il a appris. Etre et avoir, l'ouvrage est constitué de la vie de son auteur et de ce que lui propose le regard qu'il jette sur le monde qui l'entoure.

— En effet, nous pouvons trouver, disséminées un peu partout dans le recueil, des notes de lecture d'auteurs anciens, plus particulièrement Plutarque et Sénèque. Montaigne est cultivé, sa culture littéraire peut même étonner de nombreux lecteurs d'aujourd'hui, moins familiarisés que lui avec la littérature latine. N'oublions pas que le latin est quasiment sa langue maternelle, que son père lui a fait apprendre cette langue de culture comme une langue vivante, de sorte que toute la maison devait « latiniser » devant le petit Michel. Les citations sont parsemées dans toute l'œuvre, et ne croyons surtout pas que Montaigne ait voulu donner un caractère pédant à celle-ci : les réminiscences littéraires lui sont totalement naturelles.

— Par ailleurs le livre est une somme de réflexions sur le monde contemporain à l'écoute duquel se place Montaigne : aucun problème ne lui est indifférent ; qu'il s'agisse du colonialisme, des guerres de religion ou de l'éducation, Montaigne aura son mot à dire sur tout. C'est un homme ouvert et disponible que nous rencontrons. La retraite dans la « librairie » ne l'empêche pas d'être au courant de tous les événements importants du moment. Mais il analyse tous ces événements à la lumière de la morale et se penche sur le problème de l'homme et de ses mœurs. A partir d'un détail précis, Montaigne élève la réflexion et la pose en termes de nature humaine. C'est en philosophe et en moraliste, sans aucun dogmatisme, qu'il nous confie ses points de vue humanistes.

du mouvement de la vie. Et Montaigne revendique le droit de parler
de sa personne, de faire des confidences de plus en plus intimes à son
lecteur : « Ainsi, lecteur, je suis moy-mesme la matière de mon
livre », écrit-il dès l'avertissement des *Essais*. Dans le chapitre que
nous étudions, il ajoute : « Je suis roy de la matière que je traicte. »
(p. 158) Parler de lui est le plus grand travail de Montaigne. Il le fait
en toute sincérité, avec le plus grand naturel. « Montaigne, souligne
Friedrich, étale son intimité avec une sincérité authentique » (*4*,
p. 221) Le projet de se peindre tout entier, dans ses incohérences et
ses contradictions a transformé la structure même des *Essais*, comme
nous l'avons dit précédemment : de moins en moins de références littéraires, de plus en plus de références personnelles, le Moi de Montaigne sera toujours sur le devant de la scène.

IV. CONCLUSION

Les *Essais* ne sont donc pas à proprement parler une biographie, il
n'existe aucune chronologie dans la présentation que Montaigne
nous fait de sa vie. Ce ne sont pas non plus des « Mémoires », à la
manière des *Commentaires* de Monluc par exemple, non plus que des
« chroniques » destinées à faire revivre un milieu donné. Les *Essais*
sont tout cela, et bien plus : la recherche de l'essentiel, c'est-à-dire la
complexité et les contradictions de la nature humaine. Aucune
psychologie sommaire dans ce livre, aucun préjugé schématique mais
l'instabilité de la personne :

Je fonds et échappe à moy... j'ai des portraits de ma forme de vingt-cinq et
trente-cinq ans, je les compare avec celui d'asteure : combien de fois ce n'est
plus moi ! (III, 13).

C. L'art de conférer

Les conditions nécessaires à une communication réussie

Dans sa présentation de *l'Art de conférer,* Villey écrit :

Cet essai s'achève par un jugement fameux sur Tacite que Montaigne introduit par ces mots : « Je viens de coudre d'un fil l'histoire de Tacitus. » Or il
est certain qu'il a étudié Tacite en 1586 et au début de 1587, car à cette époque, il lui fait de nombreux emprunts. D'autre part, le gentilhomme à la

« suasion » duquel il dit avoir lu Tacite paraît être Louis de Foix, comte de Gurson, ou l'un de ses deux frères ; or tous trois furent tués en juillet 1587, ainsi que l'a noté notre philosophe dans ses *Ephémérides.* Comme ils sont encore vivants au moment où Montaigne écrit, le chapitre est antérieur à juillet 1587. (*2*, p. 921).

Convenons donc de ces précisions de date, utiles à éclairer notre réflexion.

Dans le plan d'ensemble du livre III, plus « farci » comme nous l'avons vu, moins didactique aussi et plus personnel, ce chapitre n'est pas isolé quant à son contenu. Le thème de la « conférence », c'est-à-dire de la conversation, a déjà été annoncé au chapitre 3 (« De trois commerces »), chapitre dans lequel Montaigne analyse ses relations avec les hommes, les femmes et les livres. Son ouverture à autrui, sa sociabilité ne font nul doute : « Il y a des naturels particuliers, retirés et internes. Ma forme essentielle est propre à la communication et à la production ; je suis tout au dehors et en évidence, nay à la société et à l'amitié. » (III, ch. 3, p. 38) Et un peu plus loin : « La fin de ce commerce, c'est simplement la privauté, fréquentation et conférence. » (p. 39) Le mot « conférence » est donc déjà écrit, qui sera analysé et précisé dans le chapitre 8. Par ailleurs, dans le chapitre 7, (« De l'incommodité de la grandeur », Montaigne aborde une idée majeure qu'il développera ensuite — le plaisir d'une conversation émaillée de piques et de pointes qui piment et tonifient les relations verbales :

Il n'est à l'avanture rien plus plaisant au commerce des hommes que les essays que nous faisons les uns contre les autres, par jalousie d'honneur et de valeur, soit aux exercices du corps, ou de l'esprit, ausquels la grandeur souveraine n'a aucune vraye part. (p. 133)

En effet, les grands sont forcément malheureux, parce qu'ils sont des « suyvans » (*ibid.*, p. 135). Suivre, ou fuir, voilà bien le dilemme qui se pose à Montaigne entrant en conférence : bien qu'il soit ouvert à tout — comme il le dit dans son dernier essai, « De l'expérience » : « J'estudie tout : ce qu'il me faut fuyr, ce qu'il me faut suyvre » — dans le chapitre 8, Montaigne semble surtout s'attacher à dénoncer les gens qu'il doit « fuyr » parce que leur conversation est inepte ou pédante.

Ainsi le chapitre 8 se trouve-t-il fortement préparé dans l'ensemble du Livre III et Montaigne donne-t-il l'impression que les plaisirs de la conversation sont assez agréables et féconds pour devoir être recherchés dans les conditions les plus favorables.

I. *LA CONFÉRENCE COMME « SUYTE » :*
MONTAIGNE CITOYEN DU MONDE

La conférence est à la mode au XVIe siècle. Henri III ou François 1er aiment avoir autour d'eux des savants, des artistes, discutant
farouchement sur des problèmes de science ou de philosophie. Nous
avons déjà noté le rôle des académies, lieu où les esprits les plus fins
peuvent rivaliser en joutes verbales. Plus précisément, évoquons les
cours d'amour créées par Marguerite de Navarre, sœur de François 1er, dans son domaine d'Alençon. Ce sont des communautés
dont les membres sont liés par une sensibilité identique et dans lesquelles se créent des échanges quasi rituels sur des thèmes originaux,
celui de la femme en particulier. Entre la conversation et le plaisir,
dans un cadre raffiné, hommes et femmes vont tenter de réhabiliter
l'amour et la courtoisie. C'est le sens qu'il faut donner à l'œuvre
célèbre de Marguerite de Navarre, *l'Heptaméron (5).* Des gens de
bonne compagnie, assez proches de thélémites de Rabelais, se retrou-
vent entre eux pour parler librement, par le biais du conte, de sujets
qui les préoccupent. Dans le prologue de son recueil, Marguerite de
Navarre donne le ton :

S'il vous plait que tous les jours, depuis midi jusques à quatre heures, nous
allions dedans ce beau pré le long de la rivière du gave, où les arbres sont si
feuillus que le soleil ne saurait percer l'ombre ni échauffer la fraîcheur, chacun dira quelque histoire qu'il aura vue ou bien ouïe dire à quelque homme
digne de foi. (*5*, p. 21-22).

Parler est bien une des occupations essentielles des hommes du
XVIe siècle. Montaigne lui-même, au cours de ses voyages, a eu
l'occasion de participer à plusieurs conférences, à Bâle, avec le
huguenot François Hotman ou avec le médecin Félix Platter dont
l'herbier l'avait émerveillé. En France même, aussi bien en raison de
ses attaches familiales que de ses fonctions publiques à la mairie de
Bordeaux, il a pu rencontrer par exemple des dames de l'entourage
de Marguerite de Navarre : la comtesse de Gurson, dont l'époux
incite notre auteur à lire Tacite, la comtesse de Grammont, dite La
Belle Corisande. Il reçoit Henri de Navarre à deux reprises dans son
château de Montaigne, en décembre 1584 et en 1587. Montaigne a
donc des relations mondaines, et il les accepte pourvu qu'il puisse
décider de leur opportunité :

De ma complexion, je ne suis pas ennemy de l'agitation des cours ; j'y ay
passé partie de la vie, et suis faict à me porter allegrement aux grandes com-

paignies, pourveu que ce soit par intervalles et à mon poinct. (III, ch. 3, p. 39)

Ceci est en effet important. Montaigne est un homme de rencontre, un gentilhomme affable et courtois dans la mesure où il peut conserver sa liberté intérieure, laquelle lui permet d'aller toujours vers l'universel. Ne pas se plier à la volonté d'autrui, ne pas tenir pour assuré le jugement d'autrui, tout comme le sien propre d'ailleurs, mais au contraire rechercher ce qu'il est possible de partager, telles sont pour Montaigne les règles essentielles du savoir-vivre mondain. « La plus contraire qualité à un honnête homme, c'est la délicatesse et obligation à une façon particulière », écrit-il au ch. 13 (« De l'expérience »). Et Friedrich *(4)* caractérise bien l'idéal mondain de Montaigne : « Ses relations personnelles avec autrui ne dépendant pas d'une fin morale, supraindividuelle. Elles restent dans une zone de liberté, de résiliation toujours possible, de distance, qui lui permet de sauvegarder sa personnalité, en même temps que de respecter celle des autres. » (p. 253)

L'Art de conférer, « bréviaire de la formation d'un honnête homme » *(ibid.,* p. 262), nous indique donc les conditions dans lesquelles pourront s'instaurer des relations harmonieuses entre des hommes ou des femmes appartenant à une certaine élite aristocratique. Car ce chapitre 8 est véritablement « un art dans l'art » et Montaigne donne un certain nombre de « recettes » pour bien « conférer », grâce à l'emploi de figures stylistiques que nous allons classer et qui permettent de se faire une idée précise des qualités du bon conférencier.

L'Art de conférer est présenté par Montaigne comme un exercice verbal, mettant en jeu l'énergie corporelle, un « jeu de main » (p. 154), une bataille des corps tout comme une bataille intellectuelle. Les métaphores de la joute ou de la chasse, exercices physiques auxquels aimait à se livrer Montaigne, sont nombreux dans le texte et le vocabulaire technique est précis. Citons pour mémoire : « Si je confère avec une asme forte et un roide jousteur, il me presse les flancs, me pique à gauche et à dextre. » (p. 137) Ou encore : « Il me semble, de cette implication et entrelasseure de langage, par où ils nous pressent, qu'il en va comme des joueurs de passe-passe... » (p. 141)

La joute oratoire emprunte à la joute physique ses tours et ses attaques, ses parades et ses esquives. Le combat verbal est une passe d'armes. La métaphore employée par Montaigne a pour objet de donner des techniques concrètes à qui veut posséder l'art de conférer. L'attaque verbale, Montaigne la rend sensible dans des formules lapidaires, des maximes vigoureuses : « Ce qui point, touche et esveille mieux que ce qui plaist... » (p. 137) L'utilisation des comparaisons, ou des parallélismes souligne la force de la pensée. Le langage et l'idée présentent une adéquation intéressante à noter.

Montaigne n'hésite pas non plus à utiliser le paradoxe pour mieux surprendre et même choquer son lecteur, afin que l'effet de surprise garantisse la réflexion ultérieure. Citons le passage où, utilisant Caton, Montaigne déclare que « les sages ont plus à apprendre des fols que les fols des sages » (p. 141) ou encore : « L'horreur de la cruauté me rejecte plus avant en la clémence qu'aucun patron de clémence ne me sçauroit attirer » (pp. 136-7) De telles formules, qui défient quelque peu l'opinion couramment répandue, nous permettent de mieux comprendre ce qu'est la conférence, ce qu'est le bon conférencier pour Montaigne : absence de préjugés, ouverture, spontanéité doivent être des qualités primordiales. Cette disponibilité de l'esprit à accepter ce qui vient d'autrui est une condition nécessaire à l'exercice d'une conférence profitable : « J'entre en conference et en dispute avec grande liberté et facilité, d'autant que l'opinion trouve en moy le terrain mal propre à y penetrer et y pousser de hautes racines. » (p. 138) La difficulté et l'originalité, l'inattendu et le surprenant aiguisent la conscience intellectuelle de Montaigne.

Ainsi Montaigne, grâce aux outils stylistiques, essaie-t-il de mettre en œuvre un langage soulignant ses points de vue. C'est parce que l'adéquation pensée/langage lui paraît être un gage fondamental de la réussite de la conférence : « J'ayme, entre les galans hommes, qu'on s'exprime courageusement, que les mots aillent où va la pensée. » (p. 138) La conférence selon le cœur de Montaigne sera également celle grâce à laquelle les hommes se sentiront plus libres et ne s'imposeront à leurs interlocuteurs que par la force de la vérité. Montaigne, dans une formule célèbre, rejette vigoureusement ceux qui puisent ailleurs que dans leur personnalité une autorité dont ils jouent dans la conversation : « Je hay toute sorte de tyrannie, et la parlière, et l'effectuelle. » (p. 146)

Ainsi, dans le va-et-vient entre ce qu'il approuve et ce qu'il dénonce, Montaigne propose-t-il un manuel de savoir-vivre fondé sur la spontanéité et la sincérité des propos, dans une société assez élitiste d'ailleurs, ces « *Happy few* » dont parlera plus tard Stendhal. Montaigne veut choisir des interlocuteurs dignes de lui : « J'ayme à contester et à discourir, mais c'est avec peu d'hommes et pour moy. » (p. 137) Le nombre d'interlocuteurs valables pour Montaigne, ainsi que les qualités dont il doivent faire preuve sont en rapport inverse, parce que notre auteur nous montre finalement qu'il vaut mieux apprendre « par fuite que par suite » (p. 136).

II. *LA CONFÉRENCE COMME « FUITE » :*
LES EMPÊCHEMENTS DE LA CONFÉRENCE

Finalement, plus qu'un « bréviaire de l'honnête homme », *l'Art de conférer* se présente comme un réquisitoire vigoureux contre une conversation futile et pédante, stérile et faisant perdre leur temps ou leur patience aux interlocuteurs. Qui Montaigne veut-il fuir ? Pour quelles raisons veut-il fuir certaines personnes ?

Il est clair, après la lecture du chapitre, que Montaigne ne peut supporter ceux qu'il appelle globalement les « sots », d'où que vienne d'ailleurs leur sottise. Il consacre tout un paragraphe (p. 141) à les classer selon que leur sottise vient de la violence, de l'intolérance, de la lâcheté ou de la précipitation, de l'intransigeance ou de la naïveté. C'est un véritable catalogue qu'établit Montaigne, utilisant les parallélismes, les tours alternés, et variant sur les procédés : « *qui* se prend à un mot... ; *qui* ne sent... ; *qui,* se trouvant foible de reins, craint tout... *ou,* ... se mutine ; ... Pourveu que *cettey-ci* frappe... *L'autre* compte ses mots... Cet autre s'arme... » (p. 141). Montaigne laisse transparaître son agacement, sa vivacité d'humeur en assaillant son lecteur de formules litaniques, et le retour régulier des mêmes mots, qui donne un aspect à la fois lancinant et véhément au passage, suggère le tohu-bohu d'une conversation inepte, grossière, aux propos oiseux, agressifs et absolument vides. Un peu plus loin d'ailleurs, Montaigne donne clairement son sentiment : « Sur le point de la bestise et opiniastreté de leurs allegations, excuses et défenses asnieres et brutales, nous sommes tous les jours à nous en prendre à la gorge. » (p. 143) Cette catégorie de sots qui pèchent par prévention ou agressivité, intolérance ou couardise est mise à l'index par Montaigne qui condamne la vulgarité et la sanctionne sans appel.

Mais il y a pire encore que ce groupe de sots. A la limite, ils sont tellement sots qu'ils en deviennent inoffensifs. Il est aisé de se détourner d'eux car leurs défauts sont assez évidents. Au contraire, il existe une catégorie de sots bien plus pernicieux, bien plus difficiles à combattre, car leur sottise se cache sous le manteau des connaissances et de l'érudition. Le type en est le « maistre es arts » (p. 141), le savant qui éblouit son auditoire par une science d'emprunt, non assimilée, creuse, toute de surface. Cet homme « si avantageux en matiere et en conduicte » (*ibid.*) se sert justement des atouts de sa profession pour en imposer à ses auditeurs qui ne disposent pas des mêmes connaissances que lui. Sa situation sociale de clerc, c'est-à-dire de savant, le vêtement qu'il porte, « chapperon » ou « robbe », le langage ésotérique qu'il utilise, « son latin » font de lui un être qui paraît à part, qui se situe au-dessus du commun, alors qu'il est « l'un d'entre nous, ou pis » *(ibid.)*. Ce « maistre es arts » fait illusion, joue avec les apparences, séduit avec des armes extérieures à sa personnalité. En lui, Montaigne condamne formellement les fausses apparences.

Par ailleurs, ce sot, formé à la scolastique médiévale, utilise des méthodes intellectuelles que désapprouve Montaigne : sa mémoire lui sert de culture, son savoir est essentiellement livresque, ses procédés sont fondés sur une dialectique formaliste. Ce savant est essentiellement un sophiste, qui fait des raisonnements captieux dans le seul but d'induire en erreur son interlocuteur.

A travers le portrait de ce sot dangereux, Montaigne fait passer toute sa haine du pédantisme et de l'ostentation oratoire. Il refuse de telles attitudes et nous donne les raisons de ce refus. Pourquoi fuir, en effet, de tels interlocuteurs ? Pour trois raisons essentielles :

— D'abord (et c'est le cas de nombreuses personnes, puisque Montaigne cite l'exemple d'un « homme d'entendement et gentil personnage ») (p. 141), nous pouvons commettre de graves erreurs de jugement lorsque notre sensibilité l'emporte sur notre raison, même si nous sommes de bonne foi. Les sots peuvent profiter de la situation et s'attirer une gloire qu'ils ne méritent pas comme ce chirurgien qui rappelle « qu'il a guery quatre empestez et trois gouteux » (p. 145) et en fait état à temps et à contretemps.

— Plus grave aux yeux de Montaigne, le fait que ces mauvais conférenciers ne recherchent pas la vérité parce qu'ils sont trop soumis à leurs émotions qui corrompent leur jugement. Ils ne possèdent pas cet empire sur eux-mêmes qui devrait les exciter à cette conquête intellectuelle, bien suprême aux yeux de Montaigne. Les interlocuteurs devraient dépasser leurs contradictions, leurs oppositions au nom de la vérité. Or, ces sots s'intéressent beaucoup plus aux apparences qu'à la vérité, au paraître qu'à l'être. Montaigne affirme avec force cette quête du vrai, essentielle pour lui, en plusieurs passages du chapitre, et notamment à la p. 139 : « Je festoye et caresse la verité en quelque main que je la trouve, et m'y rends alaigrement et luy tends mes armes vaincues, de loing que je la vois approcher. » Aucun sot n'aurait pu, comme l'avoue Montaigne lui-même, amender ses propos ou son œuvre, prisonnier qu'il est du personnage qu'il veut jouer.

— Enfin, et aussi surprenant que cela puisse paraître de la part d'un écrivain dont l'œuvre n'est pas un exemple frappant de méthode, ces mauvais conférenciers privilégient la « force et la subtilité » (p. 140), valeurs mineures aux dépens de l'ordre, valeur fondamentale. Un demi-siècle avant Descartes *(6),* Montaigne lance déjà les premières articulations d'un *Discours de la méthode* lorsqu'il écrit : « Tout homme peut dire veritablement ; mais dire ordon-néemment, prudemment et suffisamment, peu d'hommes le peuvent. » (p. 143) Cette phrase est vraiment très proche de ce qu'écrira Descartes en 1637 : « Le troisième (précepte) est de conduire par ordre mes pensées, en commençant par les objets les plus simples et les plus aisés à connaître, pour monter peu à peu comme par degrés jusques à la connaissance des plus composés, et supposant même de l'ordre entre ceux qui ne se précèdent point naturellement les uns les autres. » *(6, 2e partie)* Montaigne, dans *l'Art de conférer,* met en pratique, au deuxième degré, sa revendication de l'ordre. En effet, si la structure de l'essai est bien centrée sur le thème de la conférence, nombreuses sont les digressions par rapport au thème principal. Mais ce n'est pas là un manque de maîtrise du sujet de la part de Montaigne ; au contraire : ce désordre apparent symbolise celui des sots et les portraits négatifs mettent en évidence les comportements à « fuyr ».

Ainsi existe-t-il un ordre « en creux », ironique parce qu'il joue sur le malentendu et la contradiction. C'est là peut-être la réussite la plus subtile de Montaigne dans ce chapitre qui manie la dialectique dans le domaine stylistique, afin de faire éclater ce « moyen naturel d'un sain entendement » qu'il revendique comme seul valable. Les dénonciations apparaissent en première lecture comme de simples expositions, mais cette suite de petites conférences justifie le jugement donné dès le début du texte : il faut s'instruire « mieux par contrariété que par exemple » (p. 136). Le lecteur selon le cœur de Montaigne sera celui qui, lisant au deuxième degré, découvrira que les exemples ne jouent finalement pas leur rôle d'exemples, mais qu'au contraire ils sont l'essentiel du chapitre, car, fonctionnant par le jeu des oppositions et des contradictions, ils servent finalement le projet de Montaigne. Placer l'essentiel dans ce qui est couramment l'accessoire, telle est la méthode, tel est l'ordre personnel de l'écrivain, et nous comprenons mieux pourquoi il désapprouve aussi énergiquement le manque d'ordre des mauvais conférenciers.

* *
*

Alors, que penser finalement du contenu et des enjeux de la conférence pour Montaigne ? L'écrivain est-il un homme de conférence ? Il serait souhaitable que l'analyse qui vient d'être faite permette de mieux situer un certain nombre d'interrogations. A son habitude,

Montaigne a voulu nous faire réfléchir plutôt que nous donner des solutions toutes faites. Sa maïeutique nous interpelle, ne nous sécurise pas. Après qu'on a lu *l'Art de conférer,* demeurent de grandes questions.

Montaigne est-il véritablement un homme ouvert ? Certes, il a rencontré des gens de l'aristocratie parisienne ou périgourdine, certes il a eu des engagements civiques lors de son mandat à la mairie de Bordeaux, certes il a voyagé pour tenter de mettre un terme à ses ennuis de santé et aussi pour fuir les guerres civiles, et il a été, à l'occasion, un homme de rencontres et d'échanges. Mais au fond, et dans tous ces types de rencontres, quelle a été sa démarche ? S'est-il véritablement porté vers l'autre, l'a-t-il accueilli en toute disponibilité ? N'a-t-il pas plutôt toujours pris le soin de se « mesnager », de « s'espargner », c'est-à-dire n'a-t-il pas toujours pensé en priorité à lui-même, à son confort intellectuel et à sa liberté intérieure, au moment même où il tissait les réseaux de relations les plus divers ?

Bien sûr, on pourrait toujours apporter le démenti en citant l'exemple si émouvant de son amitié pour La Boétie, véritable communion donnée dès le départ, fusion totale des âmes, irraisonnée et irrationnelle :

> C'est je ne scay quelle quinte essence de tout ce meslange, qui, ayant saisi toute ma volonté, l'amena se plonger et se perdre dans la sienne ; qui, ayant saisi toute sa volonté, l'amena se plonger et se perdre en la mienne, d'une faim, d'une concurrence pareille. Je dis perdre, à la vérité, ne nous réservant rien qui nous fut propre ny qui fut ou sien, ou mien. (Liv. I, ch. 28, p. 236)

Mais c'est l'exception dans la vie de Montaigne, si surprenante même peut-être pour l'écrivain qu'elle est objet de méditation et d'analyse. Si l'on met à part cette amitié exemplaire, il faut admettre que Montaigne a toujours tâché de restreindre au maximum le don qu'il pouvait faire à l'autre de sa vie, et surtout de sa personnalité. Non qu'il ne fût pas serviable ; mais jamais pour lui ouverture n'a pu signifier dissipation, abnégation, gaspillage de son énergie intérieure. « Etre à soi », ne voilà-t-il pas finalement la règle de toutes les règles pour Montaigne ?

Par ailleurs, Montaigne est-il véritablement cet honnête homme dont parle Friedrich, cet honnête homme au sens que le XVIIᵉ siècle donnera à l'expression, c'est-à-dire le type idéal de la société mondaine et cultivée, dont le charme est dû à ses vertus sociales de galanterie et de courtoisie, dont la culture est dépourvue de tout pédantisme et de toute cuistrerie, dont les qualités morales sont la modération et la discrétion ? Cette honnêteté, « quintessence de toutes les vertus », selon le chevalier de Méré, Montaigne la possède-t-il vraiment ? L'*Art de conférer* dévoile la personnalité d'un homme aimant la bonne compagnie, mais une compagnie triée, choisie, comme il le dit lui-même au chapitre 3 du livre III : « Cette complexion difficile me rend délicat à la pratique des hommes (il me les faut trier sur le volet) et me rend incommode aux actions communes. » (p. 35) Son idéal, ce sont les « belles asmes », ce qui exclut toutes les catégories de sots. Montaigne ne peut retenir son agressivité, voire sa volonté de puissance, lorsqu'il s'emporte contre l'affectation et le mensonge. Il n'a pas le calme et le flegme d'un Philinte. Il est bien plus proche d'Alceste dans ce domaine, et pourrait prendre à son compte les propos du Misanthrope :

> *Je veux qu'on soit sincère et qu'en homme d'honneur*
> *On ne lâche aucun mot qui ne parle du cœur.*

> (*7, I, 1, v. 35-36*)

Dans sa hargne à poursuivre de ses remontrances les mauvais « conférenciers », il se conduit de façon excessive, ce qui est contraire aux bienséances telles qu'on les entendra au XVIIe siècle, telles que les définira Philinte :

> *La parfaite raison fuit toute extrémité*
> *Et veut que l'on soit sage avec sobriété.*

> (*Ibid., v. 151-152*)

Montaigne est-il vraiment un exemple de sobriété, de pondération et de modération ? L'ironie ouverte, pour séduisante qu'elle paraisse, peut-elle être compatible avec un idéal de mondanité élégante et réservée ?

Au total, Montaigne est-il un homme de groupe ou un individualiste ? Dans le passage consacré à l'analyse de « l'esprit géométrique », Pascal appelle Montaigne « l'incomparable auteur de *l'Art de conférer* ». Les mondains du XVIIe siècle ont lu avec profit ce chapitre 8 des *Essais* ; La Rochefoucauld cite presque textuellement Montaigne dans une de ses *Réflexions diverses* consacrée à la conversation : « Ce qui fait que si peu de personnes sont agréables dans la conservation, c'est que chacun songe plus à ce qu'il veut dire qu'à ce que les autres disent. » Mais, à l'inverse de Montaigne, dans tout le chapitre La Rochefoucauld utilise avec bonheur le « bon ton », le raffinement d'une langue feutrée et pleine de nuances, de réserves ; il emploie un style souple, non heurté, des formules impersonnelles qui n'agressent pas brutalement le lecteur. Au contraire Montaigne inter-

rogé, manie le paradoxe et la pointe. Toutes les métaphores empruntées au lexique de la joute, de la chasse, de la guerre, parce qu'elles
traduisent des excès, ne pourraient être reprises à leur compte par les
théoriciens de la « conférence » au Grand Siècle. Montaigne
demeure donc un individualiste, qui n'a pas encore assez « limé » ses
manières à celles d'autrui, et qui est beaucoup plus intéressé par la
méthode intellectuelle que par les qualités d'une conduite mondaine.
L'Art de conférer, plus que le « bréviaire d'un honnête homme », est
donc l'exposé d'une méthode intellectuelle, mettant en œuvre des
qualités de rigueur et de vérité, et laissant sur la touche tout ce qui
pourrait relever d'un code de bonnes manières.

BIBLIOGRAPHIE

1. Rabelais, *Pantagruel/Le Quart livre,* Garnier, 1962.
2. Montaigne, *Essais,* présentés par Villey, PUF, 1965.

   *Toutefois, les références des citations du Livre III renvoient — comme dans
   l'ensemble du présent recueil — à l'édition Garnier-Flammarion, 1969.*

3. R. Guardini, *La Fin des temps modernes,* Gevil, 1950.

4. H. Friedrich, *Montaigne,* Gallimard, 1949.

5. Marguerite de Navarre, *L'Heptaméron.* Rééd. Club des libraires de
   France, 1964.

6. Descartes, *Discours de la méthode,* Ed. sociales, 1967.

7. Molière, *Le Misanthrope,* Didier, 1967.

ARNAUD VILLANI

L'ironie,
concept de tout dialogue

Résumé

L'ironie a rapport au discours, qui est communication. L'analyse de la communication idéale, thème constant de la pensée occidentale, et des modèles de la « transparence », de la « chaîne sans chaînons » (Exode, système platonicien), dévoile la possibilité d'un caractère négatif de la transmission, sa diablerie (diabolé en grec = obstacle et transmission). Peu à peu la sociologie (Moles, Baudrillard), la thermodynamique nous révèlent que la communication n'est pas bonne en soi.

Face au danger de l'uniformité, la « communication négative », repérable chez Socrate, développée par Kierkegaard, propose son intériorité, son secret, son double mouvement sans contact. Dans cette région se tient l'ironie. C'est de cette région qu'il est question dans le texte de Montaigne : l'usage positif du négatif, l'importance de la contradiction, le rejet de l'unisson, l'expérience intériorisée en témoignent suffisamment. L'ironie comme fourvoiement n'est-elle pas le concept indispensable de tout dialogue équilibré ? Et Montaigne ne se rattacherait-il pas à cette chaîne de penseurs de la « philosophie souterraine », abritée sous le courant de la pensée dominante ?

Arnaud Villani, agrégé de philosophie, agrégé de lettres classiques, est professeur en Lettres supérieures et en Mathématiques supérieures au Lycée Masséna de Nice. Il a publié de nombreux articles, notamment dans la *Revue de l'enseignement philosophique* et dans *Poésie d'ici*, ainsi que deux recueils de poésie. Il a également contribué aux *Lectures de « Jules César »* (DIA, 1979). Il travaille actuellement à une thèse d'Etat en philosophie.

Que l'on rattache le mot ironie (*eirôneia*) au radical °*wer* (dh), grec *eirô,* allemand *Wort,* latin *verbum* (la parole), par le biais de *eirôn* (dissimulé), sanskrit *wrati* (radoter), indiquant une « parole masquée et masquante » ; au radical °*er-* du grec *eirô,* errer, latin *error* : « induire en erreur » ; ou enfin au radical °*er-* du grec *eiromai, eirôtaô* : « interroger » (Boisacq, *Dictionnaire étymologique de la langue grecque*) — ce qui demeure constant est le rapport de l'ironie à un discours. Pas d'ironie sans parole, sans déroulement d'une chaîne de signifiants où la voie n'est pas sûre, et qui peut « dévoyer », induire en erreur. L'ironiste interroge, mais ses questions, qui forment autant de pièges, n'interrogent-ils pas le discours lui-même comme percée, avancée, processus ? Or cette pensée, sous toutes ses formes, importe, exporte, transporte de l'information, se charge de message, de bruit, de sens et de non-sens. Le discours est traditionnellement percée positive qui véhicule de l'information, code et décode, instruit et charge, accumule. L'ironie, en interrogeant le discours, et la communication sous-jacente, ne peut-elle découvrir cette percée, la dénuder, en sonder les implicites ?

Or, s'agissant du chapitre 8 du Livre III des *Essais* de Montaigne (« De l'art de conférer »), où les allusions à Socrate sont rares, où le mot ironie n'apparaît pas, et où, semble-t-il, il ne s'agit jamais vraiment de cela, le choix du thème paraîtrait relever d'une pure association d'idées (comme si le dialogue appelait mécaniquement l'idée de l'ironie socratique). Ce thème, alors, ne vaudrait pas une heure de peine, ne pouvant éclairer conceptuellement le texte, et fonctionnant de manière juxtaposée, il serait simple occasion de déverser un savoir irréfléchi. Pourtant, le détour de l'apparent badinage montanien, sur le ton de la conversation de bon goût, dissimule une suite de propositions lourdes de sens, où, non l'ironie, mais son concept, non la stratégie rassurante d'un connaisseur du discours, mais les béances de la négativité, apparaissent comme le tissu même de toute communication. En ce trajet *philosophique,* la communication se fera négative, la transmission diablerie. Ce qui pourrait, s'il en était besoin, donner des preuves supplémentaires du fait que, dans l'histoire de la pensée occidentale, Montaigne occupe une place, souvent négligée mais instante, maillon discret, secret, d'une chaîne ininterrompue, qui court sous la pensée majeure, et dont la nature *critique* s'éclairera au cours de l'analyse.

I. De la communication idéale

A. *LE PASSEUR THAUMATURGE**

1. L'opération magique de la communication et le relais de la science

Encore en cette fin du XXe siècle, et malgré tous les déboires enregistrés au cours d'une utilisation totalement précritique de la communication, la séduction exercée par ce concept (qui fonctionne le plus souvent comme notion vague, purement « connotée ») reste très forte. C'est là sans doute une idée-force, un concept-maître. D'où la fascination que le dialogue ne cesse de sécréter, en ce qu'il est le résumé et le modèle de la communication, l'échange minimal, réalisable sans moyens, et dans le dénuement le plus complet. Suivre les aventures de ce *thauma* (miracle) abrité dans le dialogue et la communication nous mènerait par exemple du poème cosmogonique d'Alcman (v. M. Detienne et J.P. Vernant, *Les Ruses de l'intelligence*, Flammarion, Champs, 1974, p. 176 *sq.*), où Poros (le passage) est l'origine du monde, jusqu'aux trois premiers *Hermès* (I. *La communication*, II. *L'interférence*, III. *La traduction*) de Michel Serres (Ed. de Minuit), en passant par le texte du *Cratyle* de Platon, où la « facilitation du courant » est positive, et le « blocage du courant » négatif (436e), l'éloge du Pantagruelion de Rabelais, ou *La Malle-poste anglaise* de Thomas De Quincey. Et si cette revue se satisfaisait à l'évidence à peu de frais et d'un semblant de consensus, comme si le radical °*por-* : passage (port, porte — contraire : aporie) avait signifié à toutes les époques un même engouement pour la découverte des terres inconnues, pour la mise en communication du séparé, pour la percée, le forçage des obstacles, toutefois il faut reconnaître que, depuis la fin de la pensée archaïque grecque, l'espoir de sauver le monde par les « moyens de communication », concrétisé par le réseau des voies romaines qui couvre l'Europe de Philae à la Dacie, d'Antioche à Cadix et à York, renforcé par les grandes découvertes et la constitution des sciences, n'a cessé de soutenir l'Occident.

La constitution d'une théorie de la communication, couplée à la théorie de l'information, la naissance de la dynamique de groupe, de la sémiotique et des sciences du discours viennent donner le fondement « scientifique » attendu à cette représentation vague, et relayent le thème philosophique des années 1950, qui s'essoufflait :

---

* Les termes marqués d'un astérisque sont définis à la fin de la présente étude.

« la communication des consciences ». Un spécialiste aurait pourtant
perçu dans « la phénoménologie de la rencontre », le personnalisme,
le problème d'autrui, la transparence mutuelle et la reconnaissance,
la trace des analyses hégéliennes, husserliennes, heideggériennes, et à
un moindre titre des mises au point de Brentano, Scheler, Dilthey,
Buber qui déploient — l'ouvrage de R. Schérer (*Philosophies de la
communication,* Sedes, 1971) en témoigne largement — une variété,
une richesse, une complexité qui pouvaient indiquer à la réflexion
que la communication n'avait avec le schème implicite d'un échange
linéaire que des rapports lointains. Mais au lieu de développer les
conséquences de ces riches analyses philosophiques, le consensus se
satisfait des attendus théoriques de l'analyse mathématique de Shan-
non, Weaver, ou des modèles de Jacobson, abusivement simplifiés.
Le modèle le plus général de la communication peut alors s'offrir
dans sa simplicité structurelle comme l'outil émerveillant d'une connaissance universelle (mathesis universalis, vieux rêve leibnizien). Un
émetteur, un récepteur, codage et décodage, le canal, le bruit*. Entre
A et B circule l'information, quantifiable. Le bruit repéré, il suffira
de trouver les techniques qui l'excluent.

2. Le modèle de la transparence et l'exclusion du bruit

La logorrhée pseudo-scientifique à laquelle ont donné lieu les théories de l'information ou de la pragmatique (narrateur, narrataire,
narré) s'appuie sur une « philosophie implicite » : l'image métaphysique de la transparence. Pour comprendre ce thème récurrent, il suffit de se reporter aux textes de Rousseau, et aux commentaires de Starobinski (*La Transparence et l'obstacle,* Gallimard, 1971). Le paradigme* de la statue de Glaucos reprise de Platon (*Phèdre*) est ici
éclairant. Rousseau distingue entre l'âme pure et originelle, totalement disponible et limpide, et l'âme de l'homme en société : comme
la statue du dieu marin repêchée par les Grecs après des années
d'immersion, l'âme est alors oblitérée, défigurée, encroûtée. Platon
avait fait voir en des images saisissantes l'âme mutilée, couverte de
coquillages et de vase. L'idée est constamment reprise : il existe un
état naturel, où tout est clair, et un état dégénéré, où les signes sont
brouillés. Lorsque deux êtres parviennent, par le dialogue, à trans-
cender leur état d'âmes dégénérées, et se purifient mutuellement,
elles deviennent totalement transparentes l'une à l'autre. Dès lors, le
bruit est exorcisé, le modèle de la communication fonctionne sans
déchet, le canal véhicule *toute* l'information sans déperdition. Les

hommes se comprennent, Babel est détruite. En termes scientifiques, l'input est égal à l'output, ce qui entre dans le système réapparaît intégralement à la sortie. Il serait aisé d'illustrer cela par le thème de la reconnaissance des consciences chez Hegel, par la coprésence du Je et du Tu, par l'*Einfühlung**... L'essentiel est cette dénonciation du bruit (la société, la violence, la chute) que l'on désigne comme l'ennemi, le tiers, le « troisième homme » (comme le dit M. Serres dans *Hermès I*, reprenant l'expression aristotélicienne d'un argument antidialectique) ou encore le « démon ». La perfection, c'est la circulation totale de l'information, mais le diable est là qui veille, et confisque tout ce qu'il peut de ce qui passe, en sorte que l'homme en est réduit aux bribes. Une seule chose à faire : répéter le message, en tout ou partie, en espérant que le diable sera joué, et que les hommes danseront, réconciliés, autour de son cadavre.

B. LA TRANSMISSION MÉTAPHYSIQUE

1. La « chaîne sans chaînons »

Pour entrer dans un développement plus précis, et voir la structure dégagée, dans son fonctionnement, analysons le modèle proposé par Serres : « la chaîne sans chaînons ». La référence au bâton de l'aveugle (déjà utilisé par Descartes) pose le problème de la saisie de la forme des objets par le contact de la pointe du bâton, comme si ce dernier, prolongeant la main, était « tactile ». La sensation passe-t-elle « immédiatement » de l'objet à la main, peut-on considérer l'interposition du médiat comme nulle ou négligeable ? (*Hermès I*) En généralisant, on obtient l'idée, très suggestive, d'une chaîne sans chaînons : elle transmet, mais *immédiatement.* Or toute transmission semble impliquer la médiation (un moyen terme : *Mitte* en allemand, *ein Drittes,* un troisième chez Kant, le *metaxu* platonicien). L'image paradoxale de la chaîne sans chaînons n'a pas seulement l'aspect fantaisiste et intrigant des figures de Moebius ou du graveur Escher, mais constitue le modèle de la transmission métaphysique.

Au vrai, l'on aurait pu, sans le secours de ce modèle, et en s'interrogeant simplement sur l'étymologie, venir à la même conclusion. En effet, transmettre, c'est « jeter à travers » (*trans-mittere, diaballô*). Le hasard sémantique (qui fait bien les choses) a mis en valeur, en latin, l'aspect *positif* d'une transmission qui *unit* et rassemble par la trans-mission, mais a conservé en grec les traces de la pensée archaïque, dans une valeur négative : « jeter à travers », c'est aussi séparer, inter-venir, désunir, et la calomnie, le dénigrement ont ce rôle séparateur. Le calomniateur universel, celui qui sépare par des propos mensongers est le Diable (*diabolos,* dresseur d'obstacle). Il y a donc une *bonne* intermission, celle de Dieu, qui réduit tellement la transmission qu'elle se dilue dans l'unité, et une *mauvaise* qui coupe la communication par les différences insurmontables. Dieu fait le pont, le Diable l'abîme. Il s'agit, en métaphysique, d'un pont magique.

2. L'Exode

C'est un témoignage irremplaçable sur le vécu de la communication que nous propose le texte de la Bible (*Exode* 4 ; 6 ; 32 ; 33). Yahweh (YWH) veut « établir le contact » avec le peuple d'Israël, pour lui transmettre sa loi. Mais il y a un tel abîme entre l'Absolu et le relatif qu'il convient d'imaginer une série d'organes de transmission humains (Moïse, Aaron), et pourtant capables de recevoir intégralement la parole divine. Il s'agit donc du problème général (propre à toute la théologie) de « l'expression de l'absolu ». En tant que tel, l'absolu ne se communique pas. Pourtant, si une religion doit exister, il faut qu'il y ait un méat, un passage de la « figure de l'immuable » à la « conscience changeante » (v. Hegel, *Phénoménologie de l'Esprit,* B. Conscience de soi : la conscience malheureuse), un « dialogue » de l'homme et de la divinité. Moïse se fera donc l'équivalent de YWH (son lieutenant) ou *presque,* Moïse dont la langue est embarrassée, transmettra son message à l'orateur Aaron, et Aaron parlera au peuple, comme habité de la voix de Dieu (voir la sibylle, le mysticisme, la gnose, la Kabbale...). Mais le texte de la Bible, avec son solide bon sens, ne peut accepter une telle transmission : il faudrait que le peuple fût totalement divin. Dans un premier temps donc, le peuple ne comprend rien de ce que dit Aaron (l'opéra de Schönberg illustre musicalement les problèmes de transmission par l'emploi du *Sprechgesang*) ; il adore le « veau d'or » et les idoles païennes. Après un mouvement de colère de YWH, il est décidé que le peuple sera décimé, trié entre les réticents, ceux qui ne veulent pas écouter (*l'insipiens,* celui pour qui le mot « dieu » n'a pas de signification) et les dociles, ceux qui écoutent volontiers et avec lesquels un dialogue est possible.

La seule réflexion sur ce modèle suffirait à convaincre que c'est la communication *en tant que telle,* le dialogue comme tel qui sont ici en jeu, au travers de leurs instruments. Ce qui pose problème, c'est le saut incommensurable (v. Kierkegaard, *Post-scriptum aux miettes philosophiques*, et le problème du passage chez Lessing, du saut existentiel — Gallimard, 5ᵉ éd., pp. 64-65) entre Dieu et l'homme. D'où les quatre lectures possibles de la transmission de l'exode :

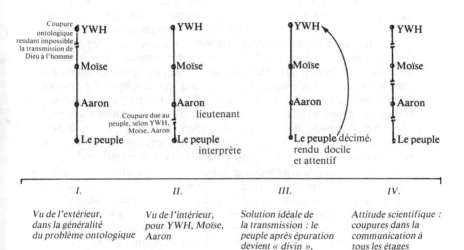

On notera que la théologie (et l'ontologie) sont sauves, que le principe d'absoluité prédomine sur le principe de tolérance. Il faut sauvegarder la souveraineté, la puissance, le principe : politique et religion sont d'accord sur ce point. Les différences sont mauvaises, l'idéal est d'éliminer même l'intermédiaire. La faute incombe au dernier terme du processus : la conscience malheureuse dévalorise d'autant plus la part d'elle-même qui n'est que transitoire, qu'elle accorde plus de valeur à la figure de l'immuable. De là à dire que toutes les déficiences de la communication viennent de la part dévalorisée, du singulier et du particulier, il n'y a qu'un pas, franchi allégrement par les théories qui préfèrent les idées aux hommes. Si au contraire, comme chez Montaigne, l'homme particulier (avec ses défauts : « tout nud Montaigne ») est l'essentiel, l'attitude s'inverse, et la communication elle-même devient le lieu du faillible.

3. Le logos platonicien

La dialectique platonicienne est le lieu naturel du dialogue en Occident. Partie du scandale de la mort de Socrate, pénétrée de son expérience de la confrontation intersubjective, destinée à éviter qu'une cité permette de nouveau une telle injustice, cette « science du dialogue » recherche les conditions d'un dialogue idéal, d'une compréhension parfaite entre les individus. Pour réussir le dialogue, il faut supposer une « plate-forme d'intelligibilité minimale » sur laquelle s'entendre. Ce seront les figures stables des Idées. Mais les Idées ne doivent pas, pour être stables, cesser d'être vivantes. On concevra donc un « ordre » particulier des Idées (*cosmos noetos*) obtenu par une sévère astreinte dialectique, d'abord synagogique ou rassemblante, puis diairétique ou divisante. L'aspect dynamique, créateur, archétypal du monde des Idées, provient d'une communication multiforme et à tous les niveaux (*mixis eidôn*, methexis**, typologie des Idées, instruments de la dialectique). Ainsi s'obtient une « machine platonicienne » dont nous avons tenté ailleurs la description (1).

D'un point de vue communicationnel, le système platonicien pourrait se résumer ainsi : partant du principe absolu (Logos* du Monde des Idées), Platon suppose un premier « intermédiaire immédiat » dans le discours socratique, puis ses supports : mot Idéal, âme Idéale, cité Idéale forment chaîne. Dès lors le Logos est partout présent dans la cité, il y circule grâce à une transmission parfaite :

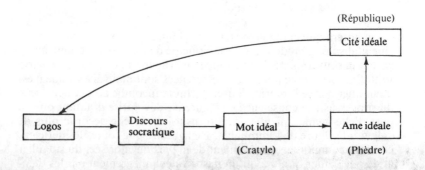

---

1. « Communication, information et pensée philosophique », in *Actes du Colloque franco-italien de philosophie,* C.N.D.P., 1977.

Le lieu du *cosmos noetos* est la cité dirigée par les philosophes aux âmes idéales, entendant un discours idéal dont un disciple de Socrate est producteur, par le biais d'un langage construit par les dieux. Pourtant Platon sait que le monde extérieur ne se combine pas de cette façon. Ou plutôt, selon Platon, il existe un monde illusoire qui masque le monde « réel » des Idées. Ce monde illusoire est constitué d'une histoire naturelle des déficiences de transmission :

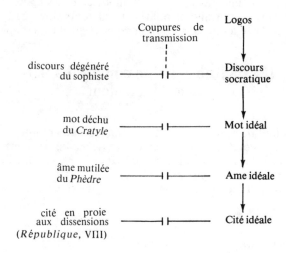

A chaque intermédiaire, un détournement, une déformation du contenu transcendant. Cela ne pouvait être présent dans le premier modèle qui, en son idéalité, considérait une identité du premier et du dernier maillon. Mais comme la transcendance est en fait inexprimable, ce n'était pas une chaîne, mais bien un point unique auquel on essayait de trouver des noms différents, comme on tente de nommer Dieu sans y parvenir (d'où l'existence d'une théologie négative). Le logos ou la Cité idéale sont une chose et une seule, il ne peut y avoir réelle circularité. Mais si l'on maintient l'exigence d'une distinction des étapes, alors la transmission est entropique*, puisqu'à chaque niveau une information considérable se perd, et à l'arrivée le monde est un brouillage et une confusion.

Or, ce que Platon a en vue avec ce schème implicite de la transmission idéale qui servira de modèle à l'espoir occidental d'une communication sotériologique*, est le problème *pédagogique*. S'il est possible de transmettre à des « âmes appropriées » (v. dans *Phèdre* le mythe de Theuth : la terre fertile, par opposition à l'eau noire de ce qui se dit dans l'écrit) un savoir fondamental et universel, alors l'entreprise platonicienne (et du même coup la philosophie, et l'Académie) est justifiée. On mettra donc en cause l'âme de l'homme, avec ses trois principes en lutte, et la cité avec ses dissensions, et non le principe transcendant ou l'idée d'une communication parfaite. Et si la pédagogie n'était pas d'abord de modeler une singularité sur le principe divin, historique et politique, ou technologique ? Et si la communication elle-même recelait la faute originelle, la diablerie ?

II. La transmission comme diablerie et le dévoiement

Il nous faut donc interroger la communication, comme le fait sans le savoir le discours de l'ironiste, et nous demander si, dans une certaine conception trop « positive » de cette transmission, l'exigence d'une isomorphie des deux pôles ne conduit pas à une violence systématique du transcendant sur le singulier, par écrasement des différences.

A. CRITIQUE DE LA COMMUNICATION

1. La critique sociologique et épistémologique

Les premiers doutes sur la communication conçue comme un bien en soi viennent des sciences humaines. Gabriel Véraldi (dans *Communications et langage* n° 6-7), se demande si la communication n'est pas une pseudo-notion élaborée comme panacée par des anthroposcientifiques en mal de nouveauté : « Aujourd'hui, nombreux sont ceux qui se demandent si le déluge théorique des communications ne sert pas à justifier et à dissimuler un emploi inconsidéré des mass media. » Ce qui rejoint l'affirmation d'un taux optimal de communication inter-individuelle, à ne pas dépasser si l'on veut éviter la « société nue » de Vance Packard. De même, les travaux de McLuhan ont mis en évidence l'importance signifiante de la forme, dans la formule *« the medium is the message »,* où le medium de communication est lui-même un contenu signifiant. La recherche de l'Institut de psychologie sociale de Strasbourg, avec A. Moles, porte sur les refus de communication, conçus non comme indices pathologiques, mais comme signes précurseurs de mutations. Et Moles ne craint pas d'écrire un texte au titre provocant, « Le mur de la communication », comportant une théorie de l'intermédiaire.

D'autre part, la riche configuration formée par les sciences de la communication : sociologie des échanges, biochimie génétique, éthologie communicationnelle, sémiotique, biologie des échanges cellulaires, thermodynamique des systèmes ouverts, théorie organismique, semblant converger en un espace global du savoir, demandait une épistémologie profonde et fine. Or, les travaux de Brillouin, von Foerster, von Neumann, fondés sur une assimilation de l'entropie et de l'information, posent problème, malgré leur intérêt évident, à de nombreux scientifiques qui n'en reconnaissent pas la validité. Les sauts conceptuels de Costa de Beauregard ou de Brillouin expliquent les réserves de M. Schutzenberger (*Encyclopédie française*, t. I, 1957), de H. Dubouchet (« Information biologique et entropie », *Archives de philosophie*, janv.-mars 1975), de H. Atlan (*La Biologie et la théorie de l'information*, p. 173). Quand Peirce écrit : « Les chercheurs n'ont jamais pu se guérir de la confusion qu'on a créée en mélangeant les notions sur l'entropie de la physique, et celle de la théorie de la communication », il donne au problème toute sa dimension. C'est tout un pan nouveau du savoir qui risque de s'écrouler, faute de fondements.

2. Requiem pour les media

Présentant un texte d'Enzensberger paru dans la *New Left Review* en 1970, J. Baudrillard note dans *Pour une critique de l'économie politique du signe* (1972) que ce théoricien a une conception abstraite des mass media. Pour Enzensberger, les media sont sous le monopole des classes dominantes qui les détournent à leur profit, mais leur structure est « fondamentalement égalitaire » et la pratique révolutionnaire dégagera cette virtualité en les libérant (pp. 205-206). Or, précise Baudrillard, les media ne sont pas inducteurs d'un rapport d'exploitation, mais d'abstraction et d'abolition de l'échange (p. 207). Ce qui caractérise les media est la « parole sans réponse ». Impossible de contre-donner* la parole de la télévision. Elle est la certitude que les gens ne parlent plus, et ne se parlent plus.

Baudrillard en vient donc (p. 219) à une critique systématique du schéma théorique de la communication. La théorie, avec son schéma, est « partout admise, forte de l'évidence reçue, et d'une formalisation hautement "scientifique" ». Or cette théorie est idéologiquement solidaire de la pratique dominante. Et Baudrillard ajoute : « Si les pratiques révolutionnaires en sont restées à l'illusion stratégique des media, c'est qu'elles n'ont jamais fait qu'une analyse critique superficielle, sans aller jusqu'à la *critique radicale de cette matrice idéologique qu'est la théorie de la communication.* » Le modèle connu émetteur - canal - récepteur exclut la relation réciproque, le dialogue au sens « ironique », la présence l'un à l'autre des deux termes du rapport, et en conséquence toute *réciprocité* réelle (non pas la réversibilité simple de l'émetteur qui devient récepteur), tout antagonisme polémique*, toute unité duelle. Ainsi par exemple ne peut-on s'émouvoir du remplacement du professeur traditionnel par un ordinateur dans le projet d'enseignement informatisé, parce qu'il y a beau temps que les technocrates ne comprennent plus l'individu comme possibilité de dialogue, mais seulement comme pouvoir de réponse physiologique (stimulus-réponse), accompagné d'une capacité d'enregistrer et de stocker des données (apprentissage). Et encore une fois la particularité de l'individu (ses faiblesses, ses failles si humaines), son « idiotie »* devraient laisser place, au nom de la communication, à l'universel sans défaillance.

3. La société de simulation

Cette critique se complète des pages de *La Société de consommation* (1970) consacrées à la « tautologie du signifiant » (p. 195) :

La vérité des media de masse est donc de neutraliser le caractère vécu, unique, événementiel du monde, pour substituer un univers multiple de media homogènes les uns aux autres, se signifiant l'un l'autre. Rien, par exemple, dans le medium publicitaire ne renvoie à un monde réel, à un référentiel, où il y aurait sens à parler de vérité et de conformité, mais à des signes, au code comme totalité. Partout, en lieu et place du réel, un néo-réel se substitue, tout entier produit à partir de la combinaison des éléments du code. C'est sur toute l'étendue de la vie quotidienne un immense processus de simulation.

Le langage lui-même se fait objet de consommation, fétiche, matériel d'échange. Le dialogue socratique entre au musée.

Ce que Baudrillard est conduit à dénoncer dans l'usage irréfléchi (ou trop subtil ?) de la communication, apparaît sous forme de « Propos sur la culture et les mass media dans la société cybernétique » dans un programme stratégique du politique Berlinguer (*Lettre aux hérétiques*). Il écrit :

Ce qui nous importe, c'est de distancier encore l'homme de sa chose, et de lui en faire apprécier le simulacre, ... (de) donner le message des mass media comme communication alors qu'il est prédéfinition de tout le vécu possible, ... (d') émousser les inclinations et de les représenter comme problèmes culturels, pour les anéantir en tant que vie matérielle.

Et Berlinguer conclut :

Il faut poursuivre dans l'œuvre de classification culturelle, afin que chaque conduite passionnelle ait sa représentation conceptuelle. Alors la planification n'aura plus rien à craindre de la variable Homme.

A tout prendre, ces développements ne sont rien d'autre que la manie de l'universel (qu'on trouve, par exemple, chez Hegel : voir, dans *La Raison dans l'Histoire,* U.G.E. 10/18, 1965, le thème des grands hommes, celui de la raison, etc.) poussée à bout. Dans cette société de simulation, des hommes abstraits échangent de purs signes dans une circulation abstraite du code. Est-ce là le résultat de l'espoir fou de la communication : une mise à distance toujours plus évidente du réel ?

Tout cela était déjà en germe dans le système, même le plus démocratique, de gouvernement. Chez Easton, ou Deutsch, la rétroaction de l'Etat cybernétique, où la réponse (les décrets) est comparée à la demande par boucle de feedback, ne suffit pas à faire oublier les « garde-barrière » constitués par les mass media, la culture, l'idéologie, l'enseignement, les échanges sociaux, les clubs, les syndicats, les partis. Ces « garde-barrière » *filtrent* la demande, la rendent recevable, l'ajustent aux possibilités de traitement de la « boîte noire » (l'Etat). Et de même que le peuple juif ne recevait la transcendance qu'après une opération sanglante, qui avait transformé ce mauvais récepteur en poste idéal d'écoute, de même un gouvernement induit les demandes ou les déforme ou les exclut. Si tout était en transit sur ordinateur, seul le réel qu'un ordinateur peut prendre en compte existerait. Voilà le danger de la transmission, et sa diablerie. Elle opère sans le dire un choix dans le réel en demandant d'abord que ce qui transmet soit de même nature (langage, culture) que ce à qui l'on transmet.

Si ce qui transmet est schizophrène, primitif ou étudiant révolté, dira-t-on que ce qu'ils disent n'est rien, que ce sont des barbares (onomatopée représentant le cri animal) ? A-t-on compris le droit à la différence ? Le démon est-il le Bruit, obstacle à la transmission, ou la transmission elle-même, comme égalisation des différences ?

B. *LE DÉVOIEMENT*

1. La « diablerie » de la communication

Si la communication est activité du diable, ce n'est pas en ce qu'elle séparerait, mais plutôt en ce qu'elle veut réunir ce qui ne peut être uni. Le thème du savoir chez Faust en témoigne. L'effort de l'universelle raison, lorsque, dans ses avatars rationalistes, technologistes, impérialistes, ethnocentristes (ou pire), elle tente de saisir tout le réel dans l'unité d'un seul discours, produit des pensées fulgurantes et un énorme gâchis. Au nom d'un progrès indéfini de l'histoire, menant à une fin assoupie, des peuples entiers sont dépossédés de leur identité. L'évolutionnisme, déclinant en ethnologie, mais qui y a sévi longtemps, a négligé la richesse des pratiques et de la pensée primitives. L'ouverture forcenée des voies de communication détruit les équilibres, banalise les territoires et les traditions. La pratique effrénée de la communication interindividuelle rend les échanges pâles et languissants. L'enseignement, donnant certes les moyens de s'entendre, uniformise le savoir et égalise la culture en consensus vague. Et ce faisant, la communication met en évidence la valeur de la différence, et sépare là où elle voulait unir, valorise le différent là où elle voulait la ressemblance.

C'est en fait à une confusion probablement irrattrapable entre le quantitatif et le qualitatif que cette réussite de la communication (ne pas oublier le radical « commun » du mot) doit de s'être manifestée en Occident. Le quantitatif est linéaire, continu, universel. Le qualitatif est hétérogène, incommensurable et suppose partout des failles, fractures, sauts qui rendent la « commune mesure » impossible. D'un côté le savoir, la mesure, la science, le discours logique, la dichotomie, l'exclusion ; de l'autre la connaissance (intuitive), l'irreprésentable, l'ironie, la ruse, la pluralité. D'un côté un système dévorant qui ne cesse d'étendre son empire parce qu'il a posé que l'espace, le temps et le réel étaient des êtres continus et homogènes ; de l'autre une pensée archaïque, aujourd'hui peu à peu dévoilée, avec la faille, la rivalité polémique (voir Héraclite), le tragique (voir Sophocle), la religion (voir Hölderlin), le symbole (voir Baudrillard) et le refus de l'accumulation (voir Bataille). D'un côté le sérieux et l'ordre, de l'autre toutes les activités que cite E. Morin dans sa réhabilitation du « demens » en l'homme (*Le Paradigme perdu : la nature humaine,* 1973), par exemple la fête, la dépense, la folie, les passions…

Pour donner un exemple simple, l'aporie des dialogues socratiques peut être attribuée à un refus, propre à la pensée archaïque, d'accumuler : d'où le désir de compenser l'injustice, de rendre châtiment pour récompense, d'atteindre l'équilibre, de remettre à zéro (v. Hei-degger, « La parole d'Anaximandre », in *Chemins qui ne mènent nulle part*, 1950, trad. fr. 1962). Le démon ici, ce n'est pas, comme le dit M. Serres, le bruit contre lequel Socrate lutterait « à deux avec son interlocuteur », mais bien le désir de l'interlocuteur d'accumuler du savoir, que Socrate lui refuse.

2. Une communication négative

Car la communication n'est pas seulement positive. Pour com-prendre cela, il importe de se référer à Kierkegaard, et plus particuliè-rement aux pages du *Post-scriptum aux miettes philosophiques* (éd. cit., pp. 47-52), du *Journal du séducteur* (Gallimard, Idées, pp. 12-17), des *Miettes philosophiques* (Gallimard, Idées, pp. 49-62). Il en résulte qu'il existe deux types de communication : l'amour et le savoir, le charismatique et le fonctionnel, le positif et le négatif.

La communication positive transfère un contenu, selon le schéma d'une thermodynamique des systèmes fermés :

A est un système plus échauffé (savant) que B, et il perd son « éner-gie » au profit de B. Mais, comme l'ont bien vu Szilard et Brillouin dans l'expérience hypothétique du démon de Maxwell, cette déperdi-tion d'énergie s'accompagne d'un gain, car la machine humaine se nourrit de désordre. Et c'est cela précisément qui fait obstacle à la recherche d'un autre type de communication : on croira alors en l'existence d'une communication idéale, puisque, en l'esprit humain, même la dépense se renverse en son contraire.

La communication négative n'est pas communion béate, spectre de l'abêtissement où tout le monde pense la même chose. Ainsi Socrate, ou le « séducteur » kierkegaardien, enseignent-ils à intérioriser la relation (d'où l'échec de Socrate avec Ménon, Hippias ou Alcibiade, tout en extérieur). Cette communication induit une béance dans l'interlocuteur, sans qu'il y ait transfert de matière ou d'énergie, par imitation fascinée :

$$S_1 \qquad\qquad\qquad S_2$$

Ainsi lit-on dans le *Post-scriptum...* (p. 48) : « Vouloir se communiquer, c'est avoir sa pensée dans l'intériorité » ; et encore : « La communication est d'essence double, double réflexion. » Le *Journal...*
complète : « Le séducteur a détourné les autres du bon chemin dans
un rapport interne relatif à eux-mêmes. » Et l'image de Cordelia est
typique : « Elle était repliée sur elle-même ; perdue pour les autres,
elle essayait de se retrouver elle-même. » Rien d'étonnant que Baudrillard, après sa critique de la communication, ait écrit un ouvrage
portant le titre *De la séduction* (1980).

La relation n'est donc pas remplissage, elle crée le vide, introduit le
rien, comme la maïeutique délivre de l'illusion du plein. Entre le maître et le disciple, une relation circulaire, propre à un système thermodynamique ouvert :

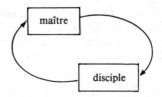

Pas d'entente, qui est banale, mais lutte polémique, et pensée solitaire, la seule qui ne soit pas commune (Zarathoustra). Et cette communication négative implique la contradiction, le secret, la liberté.
Elle exclut la communication directe sur laquelle Kierkegaard a des
formules dures : « On ne soupçonne pas que cette espèce d'accord
peut être le plus grand des malentendus » ; « la communication
directe est une tromperie à l'égard de tous les membres de la communauté » ; « parce que la pensée objective est indifférente à l'égard de
la subjectivité, elle se laisse réciter » (*Post-scriptum...*).

3. L'ironie

L'ironie fait son apparition comme concept philosophique dans la
négativité bien dégagée par Hegel dans son analyse des sophistes
(*Histoire de la philosophie*, Vrin, t. II). Elle aura, au sens
d'*interrogation intériorisante*, par le dévoiement philosophique, le
sort de la ruse (la *mêtis*) exclue de la culture et réhabilitée il y a une
dizaine d'années (Destienne et Vernant, *op. cit.*). Mais les sophistes
et la ruse, Socrate et l'ironie, ne peuvent tenir contre le sérieux du
logos platonicien, et son exigence d'une communication absolue et
positive.

La configuration de l'ironie, que notre analyse précédente permet de dégager, est beaucoup plus riche que ce qu'on entend d'habitude sous ce vocable. Dans l'*ironie*, il y a le piège, la ruse, le dévoiement (par rapport à la voie droite), le secret, le silence, la conscience en acte du néant, le retour sur soi, et le rejet de l'accumulation de savoir. Autrement dit, le seul grand ironiste de l'histoire mondiale est Socrate. Et le philosophe qui a le mieux compris à la fois Socrate et l'ironie, est Kierkegaard, notamment avec sa thèse : *Le Concept d'ironie constamment appliqué à Socrate* (Ed. de l'Orante).

On pourrait donner le ton de cette analyse par les deux formules suivantes : « Une vie digne, celle que nous qualifions d'humaine, commence par l'ironie » ; et : « La négation du point de vue substantiel, voilà l'ironie socratique ». Kierkegaard admet la thèse de Hegel sur la négativité des sophistes, et en généralise la portée au cas de Socrate : l'ironie devient la négativité même. « La forme de l'interrogation utilisée par Platon correspond au négatif chez Hegel » ; « Socrate non seulement usa de l'ironie mais il se consacra tellement à elle que lui-même en succomba ». Ici apparaît une différence fondamentale d'appréciation entre Hegel et Kierkegaard. Hegel, qui a attribué aux sophistes la paternité essentielle du négatif comme moment de la pensée, refuse de faire le pas qui conduirait à voir en Socrate le moment de la négativité pure. Ainsi, après avoir rappelé que l'ironie socratique telle qu'on l'entend en Allemagne (chez Friedrich von Schlegel, Ast, Fichte) n'est qu'un concept moderne, il précise la portée exacte de la pensée socratique. Et on comprend bien pourquoi : l'historico-mondial des *Leçons sur la philosophie de l'Histoire,* et le principe d'une Raison qui conduit le monde, ne peuvent accepter cette ironie térébrante, dirimante telle que la conçoivent ses contemporains. Hegel écrit (*op. cit.,* t. II, p. 290) :

L'ironie est le jeu avec tout ; il n'y a plus rien de sérieux pour cette subjectivité : elle prend au sérieux pour détruire ce sérieux, et elle peut tout transformer en apparence. Toute vérité élevée et divine se dissout en futilité, tout sérieux n'est que plaisanterie.

D'où la cinglante condamnation :

Faire de la futilité de toutes choses une *ultima ratio* est peut-être une vie profonde, mais ce n'est que la profondeur du vide, telle qu'elle est susceptible de se présenter dans la comédie d'Aristophane.

Kierkegaard relève le défi à cet endroit précis. C'est justement Aristophane qui a le mieux compris Socrate. *Les Nuées* sont un reflet du vide intérieur socratique, de sa conscience du néant. Selon Kierkegaard, Platon comble le rien typique de Socrate par l'Idée, Xénophon par les « prolixités de l'utile ». Au Socrate moraliste de Hegel (« Son dessein, conduire au véritable bien, à l'idée universelle », *op. cit.*, p. 291), se substitue donc un Socrate « trait suspensif dans l'histoire universelle », « feuille volante ». Socrate est difficilement saisissable. Mais son activité détruit ou neutralise le substantiel : l'élément négatif de l'amour, l'aporie, le caractère négatif du « démon » forment une puissance qui « arrache ses contemporains à la substantialité, *comme s'ils étaient tous nus après un naufrage* ».

Tout dans la personnalité de Socrate semble confirmer le point de vue kierkegaardien : son vide fondamental qui refuse le savoir (« *oida meden eidôs* » : je sais que je ne sais rien), son démon négatif, son absence de disciples (du moins selon son propre témoignage), la connaissance réflexive (« *gnôthi seauton* » : connais-toi toi-même), son intériorité puissante, son inutilité évidente (selon les critères reconnus de l'efficacité), l'aporie des premiers dialogues platoniciens, la séduction chamanique* qu'il exerce, l'aspiration de la maïeutique, son rejet par la société objective, son lieu difficile à cerner *(atopos)*, tout cela forme une configuration cohérente, qui fait exploser la conception d'un Socrate moraliste, fondateur de sectes, théoricien du dialogue, soutien de l'ordre. Socrate nous paraît être le premier représentant d'une communication négative, d'une transmission sans contact, et le modèle universel de résistance à l'accumulation, à la tyrannie du positif sous toutes ses formes. Le texte de Montaigne, *De l'art de conférer*, va nous permettre de retrouver intégralement cette configuration, ce qui confirmera notre définition de l'ironie.

III. L'ironie et la négativité
comme concepts du dialogue

Nous analysons maintenant pas à pas le texte même de Montaigne. La définition de l'ironie pourrait être chez Montaigne : « ... les devis pointus et coupez que l'alegresse et la privauté introduict entre les amis, gossans et gaudissans plaisamment et vifvement les uns les autres » (p. 153). C'est sous cette forme de lutte et de jeu (grec :

agôn) que la « conférence » a son effet optimal. D'autre part, Montaigne note que l'expérience ne sert qu'à celui qui sait la digérer : « Ce n'est pas assez de compter les expériences, il les faut avoir digerées et alambiquées » (p. 146). Cette affirmation pourrait s'appliquer idéalement à Socrate, d'autant que Montaigne précise : « Le fruict de l'expérience d'un chirurgien n'est pas l'histoire de ses practiques (...) s'il ne sçait de cet usage tirer dequoy former son jugement, et ne nous sçait faire sentir qu'il en soit devenu plus sage à l'usage de son art » (p. 145). Ici encore le modèle de l'intériorisation des expériences extérieures est typiquement socratique. Comment imaginer Socrate dialoguant tous les jours pendant des dizaines d'années, et ne possédant pas une théorie implicite du dialogue, un « dictionnaire tout à part soi », une « pensée de derrière », sauf à le croire sot, ce qui est la dernière hypothèse plausible. Le dialogue pour Montaigne est donc lutte à deux, et expérience intériorisée.

A. *LA LUTTE ET LA NÉGATIVITÉ* (pp. 136-141)

1. L'usage positif du négatif

Ce renversement proprement hégélien est bien illustré par la première page du texte. La faute est positive quand elle est prise en exemple de ce qu'il faut fuir. Montaigne avoue : « (Je) m'instruis mieux par *contrarieté* que par exemple, et par *fuite* que par suite » (p. 136 — c'est moi qui souligne, ici comme ci-après). Les sages ont à apprendre des fous, et Pausanias avait compris l'effet pédagogique d'un mauvais instrumentiste sur ses élèves. Ce ne serait pourtant que par balancement, renversement sans vertu, équilibrage mécanique, si cela restait au niveau de l'apparence extérieure. D'où la remarque plus profonde, et qui introduit réellement le débat :

> Ce qui poind, touche et esveille mieux que ce qui plaist.

Poindre se dit de ce qui pique, comme les « devis pointus » ou l'aiguillon de Socrate comparé à un taon, à une torpille (*Banquet*). Ainsi le négatif ou désaccord (l'accord dissonant du « mauvais sonneur ») assure-t-il cette réflexion sur le dialogue. Il y a là de quoi méditer. Mais nous avons longuement établi que l'histoire du dialogue et de la communication en général avait trop longtemps été histoire de l'accord (entente, uniformité, consensus) pour ne pas voir tout ce qu'il y a d'important et de profond dans cette « ouverture » du texte de Montaigne. Il s'agit d'un contre-pied de l'histoire du dialogue.

2. Les contradictions et le *polemos*

Socrate est loué d'aimer la contradiction : « Socrate recueilloit, toujours riant, les contradictions qu'on faisoit à son discours » (p. 139). Mais il ne s'agit pas d'un rire léger et superficiel. Car l'exercice est dangereux : « Platon, en sa *République,* prohibe cet exercice aux esprits ineptes et mal nays » (p. 140). En effet Platon interdit l'apprentissage de la dialectique aux tout jeunes (et aux trop vieux). Les jeunes, tout échauffés des possibilités agressives du dialogue, s'en serviraient comme de « jeunes chiens » (*ôsper skulakia*) et ne feraient qu'utiliser la potentialité négative, déchirant tout à plaisir.

Mais pour Montaigne il faut que le dialogue soit mordant : « J'ayme une societé et familiarité forte et virile, une amitié qui se flatte en l'aspreté (...) comme l'amour és *morsures et esgratigneures sanglantes* » (p. 138). Ainsi cette société n'est pas assez « vigoureuse et genereuse, si elle n'est querelleuse, si elle est civilisée et artiste, si elle craint le hurt » (*ibid.*). C'est là une idée qui réapparaîtra chez Kant (*Philosophie de l'Histoire,* Aubier, 1947) lorsqu'il souligne, dans « L'Idée d'une histoire universelle... » de 1784, l'importance de l'antagonisme, qu'il appelle « insociable sociabilité » :

C'est cette résistance qui éveille toutes les forces de l'homme, le porte à surmonter son inclination à la paresse, et sous l'impulsion de l'ambition, de l'instinct de domination, à se frayer une place parmi ses compagnons qu'il supporte de mauvais gré. (pp. 64-65)

L'homme veut la concorde, la nature veut la discorde : « Remercions la nature pour cette humeur peu conciliante... sans cela toutes les dispositions excellentes de l'humanité seraient étouffées en un éternel sommeil. » On aura reconnu ici l'origine des thèmes hégéliens de la positivité du négatif, de l'instance de la contradiction, de la passion moteur de l'histoire, de la ruse de la raison. Mais, plus profondément, c'est là la résurgence du thème archaïque de l'unité réelle, ou de la coïncidence des opposés (Héraclite, Nicolas de Cusa, Hegel) nommé plus haut *polemos.* Sans cette agitation, disait Héraclite, le monde, boisson mélangée qu'il faut constamment secouer (à noter que *polemos* veut dire « secousse »), serait un non-sens. La « Guerre » est le « père de toutes choses ».

La vigueur, le courage sont donc les qualités essentielles du dialogue : « J'ayme qu'on s'exprime courageusement, que les mots aillent où va la pensée ». (p. 138) Et il faut avoir le courage de corriger et d'être corrigé. D'où une dialectique embryonnaire du maître et de l'esclave, qui rappelle non celle de Hegel, où l'esclave fait que le maître est un faux-maître, mais celle de Nietzsche, affrontement de deux maîtres :

Je me sens bien plus fier de la victoire que je gaigne sur moy quand, en l'ardeur mesme du combat, je me faicts plier soubs la force de la raison de mon adversaire, que je ne me sens gré de la victoire que je gaigne sur luy par sa foiblesse. (p. 140)

C'est dans cet *agôn* polémique que les deux adversaires trouvent leur mesure : « Les contradictions des jugemens (...) m'esveillent et (...) m'exercent » (p. 138). Plutôt que de chercher fadement une unité lâche, ils se disputent cette unité, et sont ainsi plus proches, parce qu'ils s'élèvent mutuellement. Ainsi pourrait-on d'ailleurs analyser la dialectique du héros chez Corneille, pour Polyeucte, Horace, ou Auguste : le héros cherche à s'élever lui-même, et ce faisant, à entraîner les autres. S'il ne le peut, il restera isolé, et sa cime sera sa souffrance (Horace). Dans le meilleur des cas, les autres suivront (Polyeucte, Auguste).

3. L'unisson des esprits bas

Le refus du compromis caractérise les pensées hautes, l'air des cimes. Montaigne craint par-dessus tout l'accord sans vertu : « L'unisson est qualité du tout *ennuyeuse* en la conference. » (p. 137) L'expression est très forte : « insupportable » serait notre équivalent. Or l'unisson est l'idéal de la communication positive : enseigner pour permettre l'entente, et la justice sociale et politique. D'où l'existence des grands corpus chrétien, marxiste, des orthodoxies. C'est le fait d'un esprit bas, ou d'une absence de dialogue.

(Notre esprit se) perd et s'abastardit par le continuel commerce et frequentation que nous avons avec les esprits bas et maladifs. Il n'est contagion qui s'espande comme celle-là. (p. 137)

Voilà réglé le problème d'une accumulation de savoir linéaire et progressif. Pas d'évolutionnisme montanien, le seul exercice vraiment naturel et fructueux pour l'esprit est la discussion. Et non pas la lecture :

L'estude des livres est un mouvement languissant et faible, qui n'eschauffe point, là où la conference apprend et exerce en un coup. (*Ibid.*)

On reconnaît le mythe de Theuth évoqué plus haut (I.B.3) et sa condamnation de l'écriture. Quand Platon accordait place royale à l'expression orale, c'était par fidélité à Socrate, par préférence, contradictoire avec le sens de son œuvre, pour un type de pensée archaïque et aristocratique, par souci pédagogique : mais déjà chez lui le savoir primait sur l'affrontement, l'atteinte de la perfection sur le respect de l'équilibre, le logique sur le symbolique et le tragique. Montaigne se place donc, par ce souci de la négativité, de la lutte, et ce refus de l'unisson, en retrait de la grande ligne « progressiste » occidentale.

B. *L'EXPÉRIENCE INTÉRIORISÉE DE L'IRONIE* (pp. 140-155)

L'ironie est l'antithèse de la « fiere bestise » (p. 152), de « l'opinion » (qui trouve en Montaigne « le terrain malpropre à y pénétrer et y pousser de hautes racines »), de « l'asne » (« est-il rien certain resolu, desdeigneux, contemplatif, grave, sérieux comme l'asne ? » — p. 153). Elle fait exploser le savoir, ouvre le vide intérieur dans un retour réflexif.

1. Les puissances trompeuses du savoir

« C'est chose de grand poix que la science ; ils fondent dessoubs. » (p. 146) Cette formule fait justice du préjugé ordinaire en faveur du savoir. Tout le monde n'y est pas apte. Ce qui constitue un principe très socratique :

Or qui n'entre en deffiance des sciences, et n'est en doubte s'il en peut tirer quelque solide fruict au besoin de la vie (...) Qui a pris de l'entendement en la logique ? (...) Voit-on plus de barbouillage au caquet des harengeres qu'aux disputes publiques des hommes de cette profession ? J'aimeroy mieux que mon fils apprint aux tavernes à parler, qu'aux escholes de la parlerie. (p. 141)

Il s'agit donc de rétablir l'ordre naturel sous les hiérarchies du savoir (de même que Socrate préférait dialoguer avec les cordonniers ou une courtisane, qu'avec Alcibiade ou Ménon) et de dénoncer le hiatus entre la fausse science tout imbue d'elle-même, et la connaissance : « (...) je poursuys la communication de quelque esprit fameux, non pour qu'il m'enseigne, mais pour que je le cognoisse. » (p. 143)

Or cette science, qui n'est que fruit sec, s'accompagne de paravents et d'atours qui séduisent l'imagination. Certes Montaigne honore le vrai savoir (réflexif comme on le verra) mais déteste « un peu plus que la bestise » (p. 142) la fausse science qui « aggrave et suffoque les âmes », et qui consiste à se cacher sous l'ombre d'autrui, en se référant à sa mémoire, au livre seul. Cette misère se couvre de vêtements éblouissants : « Comme en la conference : la gravité, la robbe et la fortune de celuy qui parle donne souvent credit à des propos vains et ineptes » (p. 145) ; « pour être plus sçavants, ils n'en sont pas moins ineptes » (p. 142). Il faut considérer les pages 146 à 152 du texte comme le résultat du coup d'œil dénudant de Montaigne, fonctionnant un peu comme le « valet de chambre de la moralité » (Hegel, *Phénoménologie de l'Esprit*) qui, comme l'ordonnance de l'empereur reconnaît la faiblesse humaine du grand homme, décèle dans les belles actions leurs motivations parfois méprisables. Ainsi Montaigne « se tenant au guet des grandeurs extraordinaires » n'a trouvé que les « puissances trompeuses » (Pascal) de la contenance, des dignités et charges, de la fortune, ou encore le plagiat, les jugements universels (« gents qui saluent tout un peuple en foulle et en troupe » (p. 151).

2. Le retour réflexif et le vide intérieur

Il ne s'agit donc pas de « savoir », ni d'imagination, dans le dialogue. Il s'agit de réflexivité. L'exemple de Socrate est la pierre de touche :

Il m'est advis qu'en Platon et en Xenophon Socrates dispute plus en faveur des disputants qu'en faveur de la dispute, et pour instruire Euthydemus et Protagoras de la *connoissance de leur impertinence,* plus que de l'impertinence de leur art. (p. 142)

Cela posé, il est tout à fait remarquable que le texte, à partir de la page 143, soit une longue variation sur la re-flexion. Ainsi,

Myson (...) interrogé dequoy il rioit tout seul : « De ce mesmes que je ris tout seul », respondit-il. (p. 143)

Il faut donc toujours avoir à la bouche le mot de Platon, rapporté par Plutarque : « Ce que je treuve mal sain, n'est-ce pas pour estre moy mesme mal sain ? » (p. 144) Mon avertissement peut *se « renverser contre moy »* ; nos arguments sont *« contournables vers nous »* ; « nos yeux ne voient rien en derriere » (*ibid.*) et pourtant ils le devraient (« et lui, s'il eust reculé sur soy, se fut trouvé non guere moins intemperant... » ; enfin l'auto-accusation est nécessaire. Tout

cela tend à ce détachement de soi-même, où l'on n'est plus engagé
uniment dans une voie linéaire, tout à son but et avec des œillères :

J'ose non seulement parler de moy, mais parler seulement de moy : je fourvoye quand j'escry d'autre chose et me desrobe à mon subject. Je ne m'ayme
pas si indiscretement et ne suis si attaché et meslé à moy que je ne me puisse
distinguer et considerer à quartier, comme un voisin, comme un arbre.
(p. 157)

Cette expérience du dédoublement réflexif ouvre la communication négative et la connaissance du vide intérieur. Ayant fait crouler
les fondements de l'expérience ordinaire, Montaigne ne propose
donc plus que la lucidité, la punition de sa propre conscience, l'horreur de sa propre « puanteur », mais non pas en un sens négatif, pes-
simiste, nihiliste, plutôt pour « bien faire l'homme et dûment », car
le réel comporte aussi la dimension conscientielle, et « j'entens, dit
Montaigne, que nostre jugement (...) ne nous espargne pas d'une
interne jurisdiction » (p. 144).

Conclusion

L'ironie socratique est inquiétude, lucidité critique, retour réflexif,
fourvoiement d'une interrogation qui induit en erreur pour mieux
faire rencontrer la vérité profonde de la subjectivité. Il ne semble pas
que la conception hégélienne de Socrate soit décisive par rapport à
celle de Kierkegaard : elle contredit trop toute la négativité que
Socrate représente à l'état pur, et elle semble accorder trop de place à
l'héritage platonicien. Cet héritage, essentiel, est dégagement de la
voie, fondement de la logique et de la science, possibilité d'un savoir
analytique. En cela le moment platonicien est irrécusable, et indépas-
sable. Mais il succède au moment socratique, ouvert, négatif,
réflexif, où l'exigence d'un pôle positif pour l'évolution de l'humanité est secondaire par rapport à la connaissance de soi-même, de son
néant, de sa mort.
Entre ces deux attitudes, la téléologie positive, continue, homogène, progressive, universelle, et la réflexivité, soucieuse de l'équilibre, refusant l'accumulation du savoir pur, circulaire, fracturée,
multiple, singulière, se joue le destin de la philosophie et de l'Occident. La première voie est triomphante, semée de victoires de
l'Esprit, et cachant au mieux (mais de plus en plus difficilement) ses

« cicatrices », les outrances impérialistes, les génocides, le surarme-
ment paranoïaque ; la seconde est secrète, masquée, elle coule sou-
terrainement sous la première, mais elle paraît, malgré sa capacité de
résistance, vouée à la disparition pure et simple. Pourtant, elle ne
cherche pas à détruire l'autre voie, bien que précisément l'autre voie,
purement rationaliste, cherche à l'exterminer. Il nous paraît que les
erreurs de la société occidentale, aujourd'hui évidentes et reconnues,
proviennent de la méconnaissance des présocratiques, de Socrate, de
Lucrèce, de Montaigne, de Pascal, de Kierkegaard, de Schopen-
hauer, Nietzsche, Heidegger, des romantiques allemands, des mysti-
ques du XVIᵉ siècle allemand — de tous ceux qui ont affirmé une
nécessaire humilité du savoir, et son couple polémique avec le vide
intérieur, et la profonde subjectivité. En cela, le dialogue, s'il est
vraiment ironique, pourrait constituer la dernière chance de la civilisation occidentale de produire une représentation du réel enfin complète et non unilatérale. Le dialogue doit être entendu comme
relation circulaire et coïncidence polémique par la *contradiction*. Il
doit refuser l'entente et la banalisation. Il doit préserver l'universel,
mais le placer à la croisée de son antagoniste, le *singulier*. L'équilibre
(proprement écologique avant la lettre) entre le négatif et le positif, le
subjectif et l'objectif, le singulier et l'universel, renversé le jour où la
désacralisation du secret a supprimé les lieux d'intériorité extériorisés
(sanctuaires...) et installé la frénésie de l'universel, le couple du
savoir et du pouvoir dans la domination, le *Gestell*, c'est-à-dire
l'imposition technicienne au mauvais sens d'arraisonnement (Heidegger) — cet équilibre doit impérativement être restauré. Vers cela,
les travaux de Heidegger, Foucault, Deleuze, Lyotard convergent
aujourd'hui. Et l'on ne s'étonne pas de voir Montaigne si souvent
pris comme référence dans les analyses de Cl. Rosset (*Logique du
pire, L'Antinature, Traité de l'idiotie*), si l'on s'aperçoit que, sous
couvert d'un entretien divertissant où l'auteur se raconterait lui-
même, Montaigne développe dans leur profondeur les grands thèmes
d'une confrontation philosophique sur la pensée de l'Occident.

LEXIQUE

(Définition des termes signalés par un astérisque, par ordre d'apparition)

thaumaturge : celui qui fait des miracles (*thauma*, miracle).

bruit : ce qui s'oppose à la communication, brouille les messages. Exemple : une feuille rousse ressemblant à un champignon est un bruit pour le chercheur de champignons.

paradigme : exemple qui sert de modèle (terme platonicien).

Einfühlung : notion introduite par Th. Lipps (*Fondements de l'esthétique*). L'*Einfühlung* permet la perception de la réalité psychique d'autrui, par assimilation « empathique ».

mixis eidôn : en grec, participation.

methexis : en grec, mélange des idées.

logos : en grec, la parole, le discours, le calcul, l'Absolu.

entropique : l'entropie est la mesure de déperdition d'énergie d'un système (2ᵉ principe de la thermodynamique de Carnot-Clausius).

sotériologique : relatif à toute doctrine qui fonde le salut sur l'existence d'un rédempteur.

contre-don : don et contre-don dans l'échange symbolique doivent constamment former couple. (Voir Mauss, *Essai sur le don* ; Davy, *La foi jurée* ; Baudrillard, l'*Echange symbolique et la mort*.) Ainsi dans le potlatch, tout ce qui est donné doit être rendu avec avantage, dans une lutte qui renforce l'équilibre et la cohésion sociale.

polémique : le *polemos* est la lutte héraclitéenne entre les contraires (homme/femme ; nuit/jour ; mort/vie). Les deux éléments, séparés par une rupture de l'unité première, s'affrontent de manière positive comme les deux rives, de part et d'autre du pont (« rivalité » heideggérienne). Le symbole est polémique dans la pensée archaïque :

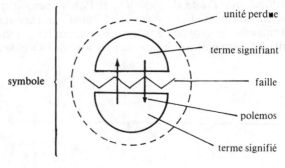

idiotie : du grec *idiotès,* particulier. Idiotie se dit étymologiquement de la particularité, de la singularité.

chamanique : le chaman est le sorcier des tribus primitives. Il exerce une influence fascinante et charismatique.

BIBLIOGRAPHIE

(Lectures conseillées)

Platon : le *Théétète* (pour la maïeutique) ; le *Ménon* (pour le renversement des compétences) ; *le Banquet* (pour Socrate éveilleur) ; *Le Petit Hippias* (ou *Hippias mineur* — pour la technique ironique) ; *L'Apologie de Socrate* (refus de la maîtrise, désir du dialogue) ; le *Charmide* (pour la conclusion aporétique).

Hegel : *Leçons sur l'histoire de la philosophie,* Vrin, 1971, t. II, pp. 241-338 (les sophistes, Socrate).

Kierkegaard : *Le Concept d'ironie constamment appliqué à Socrate,* in *Œuvres,* Éd. de l'Orante ; *Post-scriptum aux miettes philosophiques,* Gallimard ; *Journal du séducteur,* Gallimard, Idées.

Heidegger : « Le dépassement de la métaphysique », in *Essais et conférences,* 1958 ; « Hölderlin et l'essence de la poésie », in *Approche de Hölderlin,* 1957 ; *Acheminement vers la parole.*

LITTRÉ
(1875)

IRONIE *s. f.* • 1° Proprement, ignorance simulée, afin de faire ressortir l'ignorance réelle de celui contre qui on discute ; de là l'ironie socratique, méthode de discussion qu'employait Socrate pour confondre les sophistes. • 2° Par extension, raillerie particulière par laquelle on dit le contraire de ce que l'on veut faire entendre. Ce compliment n'est qu'une ironie. « Dans les premières paroles que Dieu a dites à l'homme depuis sa chute, on trouve un discours de moquerie et une ironie piquante, selon les Pères », Pasc. *Prov.* IX. « Voilà l'homme qui est devenu comme l'un de nous, ce qui est une ironie sanglante et sensible dont Dieu le piquait vivement, selon saint Chrysostome et les interprètes », *ib.* « Il a une facilité merveilleuse à manier l'ironie », **Boil.** *Sublime,* 28. « Point d'injures, beaucoup d'ironie et de gaieté ; les injures révoltent, l'ironie fait rentrer les gens en eux-mêmes, la gaieté désarme », **Volt.** *Lett. d'Argental,* 18 mai 1772. (…) « Toujours son ironie, inféconde et morose », **V. Hugo,** *Chants du crépuscule,* XIII. • Par extension, retour sur soi-même par lequel, semblant se moquer du malheur, on en exprime plus fortement l'impression. « Il y a une autre espèce d'ironie qui est un retour sur soi-même, et qui exprime parfaitement l'excès du malheur ; c'est ainsi qu'Oreste dit dans l'*Andromaque* : Oui, je te loue, ô ciel, de ta persévérance », **Volt.** *Comm. Corn. Rem. Médée,* II, 2. • Fig. L'ironie du sort, événement malheureux qui semble être une moquerie du destin. « Cette amère ironie du malheur », **Mme de Staël,** *Corinne,* XVII, 4. — H. XIVᵉ s. « Yronie est quant l'en dit une chose par quoy l'en veult donner à entendre le contraire », **Oresme.** (…)

MARCEL DESPORTES

Note sur l'ironie

Résumé

L'ironie, cette feinte bienfaisante de l'esprit, est sereine, pressante ou amère selon que le combat est gagné d'avance, incertain ou perdu. En toute circonstance, c'est l'attaque, l'esquive ou la riposte du moi, l'affirmation voilée mais inflexible du droit à l'opinion intime.

Marcel Desportes, agrégé de lettres classiques, enseigne en classe préparatoire au Lycée Malherbe de Caen. Il a publié de nombreuses études critiques, une édition de Villon (Larousse), des traductions de Sophocle, Eschyle, Aristophane. Il termine actuellement une traduction des œuvres complètes de Virgile.

(Cette « Note sur l'ironie » est extraite d'une importante étude inédite consacrée à « L'art de conférer ».)

Devant les refus de sa Maîtresse, un jeune homme du temps de Louis XIII lui tendit son épée en la priant de l'en percer, et la Belle lui en passa deux grands coups au travers du corps. « Après tout, ajoute un chroniqueur, c'est bien ce qu'il avait demandé. » Humour, et caractérisé, même si le mot n'est pas encore revenu chez nous d'Angleterre (1762). Même chose quand Alphonse Karr s'écrie après Louise Colet qui s'était, elle, servie d'un couteau de table : « Elle a dépareillé la douzaine ! » C'est de l'humour encore quand Voltaire déclare que les deux naïfs « furent menés séparément dans des appartements d'une extrême fraîcheur dans lesquels on n'était jamais incommodé du soleil » *(Candide)*.

Qu'est-ce donc que l'ironie ?

Nous essaierons de dégager le mot de toutes les acceptions plus ou moins flottantes ou fantaisistes, et nous allons directement consulter *Le Jardin des racines grecques* de Lancelot (1657) :

Eirôneia = Ironie, dissimulation

Le latin « dissimulation » signifie effectivement « ironie (socratique), feinte ». Voilà l'essentiel. Il n'y a pas toujours ironie quand il y a feinte, mais il y a toujours feinte quand il y a ironie.

A nous maintenant de dégager les constantes et les variantes selon que l'ironie est sereine (il y a sérénité et sérénité), pressante ou amère, autrement dit selon que l'homme est au repos, qu'il joue et gagne, ou qu'il perde.

I. L'ironie sereine

C'est l'ironie dite « socratique », d'un homme qui flâne sur le marché (d'Athènes) et qui lie conversation avec un autre flâneur. Socrate, car c'est lui, va feindre de ne pas savoir, d'interroger son interlocuteur, et celui-ci, de réponse en réponse, va produire une vérité dont il était porteur à son insu. Cette technique d'accouchement des esprits s'appelle la maïeutique. Naturellement, c'est le degré zéro de l'ironie, l'ironie en soi, l'ironie à l'état natif. Outre la feinte, que l'on n'imagine que souriante, on y relève une inépuisable bienveillance, fondée sur le respect de l'homme et de l'enfant, et orientée vers le seul bien des corps, des cœurs et des esprits, et de la Cité. Cette ironie, essentiellement désintéressée, est extrêmement rare chez nous : il y a bien quelque chose de cela dans les *Essais* (III, ch. 8), mais il faut arrêter très vite. En revanche, elle est tout à fait dans la ligne du conseil d'Antisthène — dont Montaigne nous parle également dans *L'Art de conférer* — où les Athéniens feront leur la vérité qui leur est dite.

Prenons maintenant le cas d'un homme qui certes considère ses avantages, mais qui n'entend nullement léser autrui, et dont la cause est du reste assez bonne. Vous aurez alors l'ironie tranquille, pleine de bonhomie, comme le langage de l'invalide de Lysias, qui de condition bien modeste, feint d'être riche (ne marche-t-il pas sur *deux* bâtons ?) pour faire exprimer par les juges la juste sentence déjà formulée en eux-mêmes au premier aspect de tant d'innocence ? Nous aurions l'équivalent de cela dans les meilleurs pamphlets de P.-L. Courier, lui aussi tellement sûr de son droit qu'il ne perd que l'attente. C'est la plaisanterie *(paidzô).*

Même sérénité, tout au plus assaisonnée d'un sourire, très fugace, de supériorité imperceptible, quand il ne reste plus qu'un dernier succès à remporter, décisif il est vrai, sur un adversaire un peu lent, un peu inattentif, un peu gauche, un peu important... C'est Auguste devant Cinna :

> *Si j'ai bien entendu, tantôt,* ta politique...

Voilà la feinte : Cinna est en réalité un pauvre homme, qui n'a les grands principes qu'à la bouche. Et Auguste va combler Cinna, et même à force d'exemples le hausser au seuil inférieur de la grandeur d'âme. Des analyses analogues nous montreraient un Polyeucte en pleine ascension démasquant, amusé, en trois répliques, la bienveillante fourberie d'un Félix et l'orientant, à son insu, vers la conversion ; un Nicomède, feignant de parler à Prusias et à Attale leur langage de satellisés, mais travaillant à leur indépendance comme à la science, et y formant du moins Attale ; et dans le *Lorenzaccio* de Musset, un Lorenzo, tout à son projet, éloignant deux bourgeois florentins qui pourraient lui nuire, mais en se payant de leurs raisons et en leur ménageant une substantielle promotion ; si ces bourgeois ne s'en trouvent pas éduqués, c'est que Florence est devenue Florence et que l'on n'y est plus éducable.

C'est exactement la position de Socrate dans l'*Euthydème* : il vient d'assister à la défaite d'un adversaire un peu dans les conditions où M. Jourdain est défait en « duel » par Nicole ; il l'achève en l'instruisant (de la vanité de ses prétentions, de son hyper-scepticisme et de sa « technique »), et ce n'est pas la faute de Socrate si le sophiste sot ne se convertit pas. La sérénité est indispensable à ces maîtres : si par hasard il y a retour offensif de danger, l'ironie disparaît : Polyeucte n'ironise pas devant la redoutable Pauline, ni Nicomède devant le Machiavel de Rome.

Ne craignons pas de mettre en lumière la générosité de l'ironie. Voltaire écrivait : « Les injures révoltent, l'ironie fait rentrer les gens en eux-mêmes. » (18 mai 1772). Henri Heine (!) l'appelait du « champagne glacé », et même les héros de Stendhal, et leurs amis, face à l'important, à une société sclérosée ou à une institution sclérosante, n'ont jamais froissé durablement un adversaire. C'est peut-être Montaigne qui va le plus loin quand il montre, toujours dans *L'Art de conférer*, les possibilités, entre honnêtes gens, du jeu, du badinage, de l'ironie enjouée, et de la seule ironie.

L'ironie n'est à ce point une affaire de cœur que parce qu'elle est affaire d'esprit. Montaigne le suggère, une fois vainqueur de son importance (elle nous hante tous sept fois par jour) et de son corps. Point de grogne, donc, ni de hargne, ni de rogne ! « Point d'injures, continue Voltaire, beaucoup d'ironie et de gaieté, la gaieté désarme. » (Sur la gaieté de Montaigne, voir « De la tristesse », Livre I, ch. 2.) Point de « passion » (nous sommes si « merveilleusement corporels » !), d'insultes (assauts), d'outrages (blessures), de sarcasmes (morsures). « *Monere voluimus, non mordere* », disait La Bruyère. La sarbacane finale, tout au plus, et pas empoisonnée !

Pas de lourdeur ! L'ironie, en vérité si grave et si profonde, est légère. Voir, quand ils sont bons, certains « billets » de nos quotidiens. L'allusion, fugace. La mimèse, qui permet, par imitation exclusivement superficielle d'autrui, car il ne faut pas attraper l'importance au passage, de sous-entendre les prétentions, du premier vaniteux venu au « monstre sacré » de service, et non de « s'en dépiter et ronger ». Voir Auguste et la « politique » (?) de Cinna. Voir Dorine : « Le pauvre homme ! » Voir Voltaire : « En conséquence... », pour railler l'absurdité des Inquisiteurs. Voir Montaigne : « ... un Monsieur (!) si suivi, si redouté... ». « Au lieu d'y tendre les bras, nous y tendons les griffes », deux coups de crayon, mais nous avons baissé les pattes. Voir l'album des « sots » et autres « maistres ès arts » (pp. 140 *sq.*), sur lequel pas un de nous ne voudrait figurer...

II. L'ironie pressante

La rencontre est souvent hasardeuse, et la lutte, plus chaude. Il y a bien feinte à l'origine, générosité foncière. Mais il y faut armes nouvelles. Il faut s'adapter.

La feinte va se préciser ; jusqu'ici l'on disait autre chose que ce que l'on pensait. L'on dira maintenant le contraire, et la mimèse, éventuellement réemployée, et sifflant en flèches empennées (Racine, *Andromaque*, v. 1309-1340), ira toujours dans le sens diamétralement opposé au sens littéral : l'on ne salue dans l'adversaire l'accomplissement d'un idéal que pour qu'il sente qu'il n'en approche point.

C'est alors que l'ironie coïncide avec la figure de rhétorique de même nom, inventée par les Romains *(dissimulatio)* qui voulaient s'en faire une arme dûment répertoriée et directement utilisable au Forum. C'est l'antiphrase : le ton se tend, le mot se fait verbe ; le mètre, rythme, et souffle ; la méta-phore, trans-port. C'est l'Eloquence, lecteur. C'est de la Lyre en prose. On ne pardonne plus : Pascal voue les Jésuites à la « risée » publique. Il se peut même que l'ironie ne serve que de détonateur et débouche sur un tir, appelé tirade. Au théâtre. Et de fait, le « Bon appétit, messieurs », de l'ironie en soi la meilleure ouvre sans transition une page des *Châtiments*.

Est-ce à dire que l'ironie, qui, à ce degré, fustige, soit passionnée ? Elle le paraît. Mais attention, la passion, c'est le Mal, et le Mal, ce n'est pas Ruy Blas, c'est Don Salluste (au moins, avec Victor Hugo, on n'y va pas par trente-six chemins). La tirade ne comporte ni sarcasme, ni outrage, ni insulte. Il y aurait un duel, voyons... Pas de mot inexpiable. Pas de personnalités. Les « quatre vérités », sans plus, sans le « poumon » eût dit Montaigne, et sans le « foic », sans le corps de Ruy Blas. C'est la distinction de l'erreur, que l'on hait, et de l'errant, que l'on aime, et qui reste un « homme » (Pascal, *Provinciales*, XI). C'est même au nom de la « charité » que Pascal se fera ironique, à l'exemple des Pères, voire de Jésus ! Hugo dit bien que dans « ironie », il y a « fer » *(iron),* mais son Ruy Blas n'est ironique à ce compte, et fer s'il y a ce ne saurait être que de scalpel salutaire. Cela nous ramène au « champagne glacé ». En revanche, la lettre de Rousseau sur le pot de beurre (20 décembre 1754), excellente en soi, ne sera pas ironique : c'est un bol de fiel... L'ironie ne sera donc jamais passionnée que par un abus de langage, mais elle sera volontiers enflammée (comme on le voit, en deux passages au moins, dans *L'Art de conférer*).

Feinte, éloquence, feu, voilà donc les marques de l'ironie de l'homme qui se bat. Car tous se battent. Ainsi l'Elise de la *Critique*

de l'Ecole des femmes, aux côtés de Molière, dans cette comédie-
« conférence » de presse. Tous les degrés se rencontrent. Nous avons
vu l'ironie chauffée à blanc ; c'est la tirade, le pamphlet, le tract,
quand il est l'œuvre d'un Pascal. Le seuil inférieur, le « lever de
rideau », l'escarmouche initiale, se rapprochera du persiflage : le
mot est de 1735, et de Paris, mais la chose est vieille comme les Gau-
les, et de partout en France. Ainsi Dorimène persifle Madame Jourdain à froid (*Le Bourgeois gentilhomme,* V,3), et ce n'est de sa part
que gratuité pure. Mais voyons le Visiteur dans la Provinciale IV,
tout le rôle d'Elise — et Montaigne lui-même dans ses bonnes questions de *L'Art de conférer.* A tel moment, il n'a pas encore de querelle, et la feinte est si enveloppée que l'adversaire ne s'en aperçoit
pas. Il n'a d'ironie que pour un tiers, que l'on empêche de tomber
dans la sottise combattue.

III. L'ironie amère

Commençons par le plus aisé, c'est-à-dire par en examiner quelques variétés.

Voici un jeune homme de grand cœur, mais de fortune basse. Un
père ambitieux lui refuse la main de sa fille, qui l'aime et dont il est
aimé. Un concours de circonstances porte le valeureux prétendant à
la seconde place de l'Empire romain. « C'est le moment, pense-t-il,
de réitérer la demande en mariage », mais au dernier moment, il
apprend que la jeune fille est maintenant mariée, et il regrette :

> *Un peu moins de* fortune, *et plus tôt arrivée...*

(*Polyeucte,* v.449). Ce mouvement peut s'adapter à toutes les situations : voici un agent électoral qui apprend trop tard, quand les jeux
sont malheureusement faits, une instruction préfectorale trop tardive, qui aurait assuré le succès de son candidat. Il s'écrie :

> *Un peu moins de fortune, et plus tôt survenue...*

(Stendhal, *Lucien Leuwen,* II). C'était l'ironie du sort.

Voici un autre malheureux : sa maîtresse forme pour lui des vœux
de bonheur, mais c'est pour son rival qu'elle soupire, et il regrette,
pas souriant du tout :

> *Je vous entends. Tel est mon partage funeste !*
> *Le cœur est pour Pyrrhus, et les vœux pour Oreste.*

A la fin, les choses ne se sont pas arrangées : broyé par la machine tragique, « par les dieux, dit-il, implacables et persévérants », il les félicite (*Andromaque,* v.1614). C'est sa dernière passe d'armes ironique. Voici l'ironie dite « amère » :

> *Hé bien, je meurs content...*

Pire encore la situation du brillant généralissime des armées achéennes : broyé, lui, dans sa fille qu'il doit immoler par ordre des dieux, s'il veut vaincre, il répond à Iphigénie qui lui demande si elle assistera au sacrifice :

> *Vous y serez, ma fille.*

En plus enveloppé, c'est encore la même chose. Les dieux doivent entendre, et prendre pour soi cette accusation muette, qui précède un : « Hé bien, je suis content », que le généralissime ne peut pas formuler.

Inutile de dire que nous retrouvons ici la feinte, ne serait-ce qu'en personnifiant le Sort, pour lui dire, sinon « Parfait ! », du moins : « J'ai compris ! », et en tout cas que l'on n'est pas dupe, qu'on l'a vu venir en escarpins ou en gros sabots. La forme se reconnaît aisément, à la brièveté lapidaire, mais surtout à la première personne, exprimée ou latente. C'est le « refus lapidaire » de naïveté. Et la pédagogie ? Evidente ! mais comme il ne peut être question d'éduquer le Sort ou les Dieux, il ne reste qu'à se former soi-même. Provisoirement, à la résignation. Et la première personne s'explique fort bien.

C'est donc de l'ironie. Aristote est formel (*Morale à Nicomaque,* II, vii, 12 ; IV, vii, 3), ainsi que son disciple Théophraste (*Caractères,* I). Mais tout en sentant juste, ils se sont égarés, faute d'avoir reconnu à l'ironie une pédagogie qui contribue à unifier la notion. Sur leurs pas, La Bruyère *(Discours sur Théophraste)* arrive à la limpidité que voici : l'ironie-dissimulation « est quelque chose entre la fourberie et la dissimulation qui n'est pourtant ni l'une ni l'autre ».

Reste à expliquer le mot « amère ».

Nous jouons le tout pour le tout. Si vraiment, avec un mot pareil, le corps est en jeu par l'organe du goût, il n'y a plus d'ironie, et la locution courante, des « bergers » et des « enfants de boutique », est un non-sens ! En fait, c'est simple façon de parler. L'ironie est comme les larmes et la déception du même nom. Voilà tout.

L'ironie « amère » n'a rien de spécialement physique : elle est spirituelle, et la meilleure preuve, c'est que les importants (= mal-

portants, par exemple : les enflés, les braqués, etc.), tout ce qui n'est
pas à l'aise dans sa peau, par sa faute) en sont incapables : il existe
deux pièges au monde, qui ne pardonnent pas, le Comique, où l'on se
jette soi-même à broyer sous les rires de la salle, et le Tragique, où
l'on est broyé par le Destin, et plaint par le public. C'est Oreste qui
seul refuse. Harpagon, plus important que jamais, s'attache amou-
reusement au piège qui pourra fort bien un jour se faire camisole de
force : « Et nous, allons revoir notre chère cassette... » Oreste est
encore un homme. Il y a longtemps qu'Harpagon n'est plus qu'un
pantin. Oreste est un homme qui sait (Pensée 347)*, et par là-même
plus grand que ce qui l'écrase. C'est là sa générosité. Sa noblesse, et
son esprit, selon le mot de Goethe, car il nie. Observons-le bien :
nous tenons là le secret de la brièveté de son refus, car il se déconsidé-
rerait à se colleter en invectives avec la force brutale qui l'opprime, et
il ne peut compromettre son éminente dignité dans l'arme même qui
la confirme.

Allons plus loin. « Il est, dit Montaigne, des défaites triomphantes
à l'envi des victoires. » Et si notre résigné, déjà moralement vainqueur, « se relevait » (Pensée 347) et se vengeait... On voit comment
le refus est tangent à l'orgueil, « présomption », dirait Montaigne, et
orgueil prométhéen. Notre refus-litote jouxte la démesure. Les théologiens se méfient de cette « réserve », pire, à l'occasion, que la jactance (R.P. Sertillanges). Là serait la véritable amertume de l'ironie
« amère ». Montaigne est, bien que laconique, formel à cet égard :
« C'est pareillement faillir » que, voyant « jusques où on vaut », de
faire comme Tacite : de ne pas le dire.

IV. L'ironie du refus intime

Même si l'on doit, chassé de chez soi par la peste, fuir six mois
durant, avec sa maison, toujours renvoyé de porte en porte, la Tragé-
die n'est ni universelle, ni éternelle. Elle est intimement liée au Comique (Shakespeare) et trois fois « triste », trois fois « farce » (Maupassant). Un Figaro s'empressera toujours de rire de peur de n'avoir

---

* Pascal, *Pensées* (n° 347 de l'éd. Brunschvicg) : L'homme n'est qu'un roseau, le plus
faible de la nature ; mais c'est un roseau pensant. Il ne faut pas que l'univers entier
s'arme pour l'écraser ; une vapeur, une goutte d'eau, suffit pour le tuer. Mais, quand
l'univers l'écraserait, l'homme serait encore plus noble que ce qui le tue, puisqu'il sait
qu'il meurt, et l'avantage que l'univers a sur lui, l'univers n'en sait rien. / Toute notre
dignité consiste donc en la pensée. C'est de là qu'il faut nous relever (...) Travaillons
donc à bien penser : voilà le principe de la morale.

plus à le faire après. Nous pouvons nous-mêmes refuser, d'avance, l'Importance-légion. Au moins, si elle ne vient pas à nous, n'aurons-nous point, n'allant pas à elle, à formuler, faute de refus préventif, le « refus lapidaire ».

> *Sans prendre garde à l'ouragan*
> *Qui fouettait mes vitres fermées,*
> *Moi, j'ai fait* Emaux et camées...

disait Théophile Gautier avec le même sourire très indulgent et très inaliénable que l'on retrouve aujourd'hui sur les lèvres de tout ce qui choisit l'univers bucolique, de préférence à l'univers géorgique ou militant, et qui réduit d'abord à l'impuissance toute tentative de mise au pas.

Montaigne est tout près : capable de passer en 1585 à travers l'ouragan du Périgord, mais à la façon martiale et péremptoire d'un Socrate (III, ch. 17), roi dans son livre et dans sa librairie, parlant des rois comme Pascal en parlera, de la « grimace » comme l'auteur de mainte Pensée, de la fortune ou de l'ordre existant... De même, où que ce soit, il se rencontre avec Pascal pour célébrer un « ordre » suprême, fondé sur la nature, sur l'Amour, sur la Charité, n'importe, puisque c'est toujours sur la Vérité. C'est cette certitude intime qui est la grande ironie des *Essais* et des *Pensées,* la grande leçon de soumission feinte à la Société, dont du reste Pascal parle si peu.

Cette ironie s'exprime fort bien quand tout est dit, par jeu de mots (« suivez cette pointe... » ; « ce que j'adore... » ; « il fait laid... » ou par jeu de rythme, comme si la surabondance vitale de la Nature ou Genèse, en passant dans le Verbe, détruisait en déjouant pareillement l'ordre factice pour imposer le seul véritable. L'ironie se loge ici en clausule, là où les orateurs logent volontiers leur image périodique. Mais c'est à l'Homme qu'il faut revenir, et mieux qu'à l'ironie socratique, à Socrate.

*   *
*

Nous n'avons garde de définir l'ironie : les plus fins maîtres confèrent entre eux pour savoir s'il y en a dans « L'Esclavage des nègres » ou s'il n'y en a pas, et si Kierkegaard est l'homme de l'ironie ou celui de l'humour. Grave ou légère, sereine, pressante ou amère (?), toujours victorieuse, au moins moralement, de tout Destin, sous la mimèse, l'antiphrase, le refus ou la clausule-chiquenaude, inspirée parfois par le désespoir mais le dominant toujours, cette feinte bienfaisante de l'esprit orientée diversement vers l'édification d'autrui ou de soi-même, pratique surtout le sourire. Provoquant parfois le rire, elle le dépasse autant qu'une réaction de victoire peut dépasser une réaction de défense. Nous la récusons mordante et grinçante. Nous l'aimons fine, mais elle est grande. Elle est omnidimensionnelle. Renan l'a observé, encore que de façon trop importante (cette qualité par laquelle, dit-il, « l'esprit humain établit sa supériorité sur le monde, et dont les grandes races seules sont capables »). Proudhon, plus grandiloquent, l'a pourtant mieux exprimé, et il n'est pas loin, lui, de l'impossible et périlleuse définition :

Ironie, vraie liberté, c'est toi qui me délivres de l'ambition du pouvoir, de la servitude des partis, du respect de la routine, du pédantisme de la science, de l'admiration des grands personnages, des mystifications de la politique, du fanatisme des réformateurs, de la superstition de ce grand univers et de l'adoration de moi-même. *(Confession d'un révolutionnaire)*

PASCAL MATHIOT

L'ironie et le jeu
dans « L'art de conférer »

Résumé

1. On n'entre pas sans risque dans un texte toujours « en mouve-ment ». Risque de se perdre, de le perdre, d'où de nécessaires précautions de lecture.

2. L'ironie a plus une histoire qu'une « définition ». Son sourire vient toujours d'ailleurs, toujours surgi à l'angle mort de notre vision.

3. Or elle est ici principe *même de l'œuvre et pas seulement enfer-mée dans des phrases isolées comme lorsque Shakespeare fait dire à Marc-Antoine :* « And Brutus is an honourable man », *donnant à entendre l'inverse.*

Il faudra donc chercher à unir ironie comme mode de pensée et ironie comme mode de discours (organisation formelle du texte).

4. On l'éclaire et on la condamne en disant qu'elle « joue ». Ce jeu nous a semblé encore plus sérieux que notre sérieux.

Pascal Mathiot, agrégé de lettres modernes, enseigne en classe de B.T.S. au Lycée Chérioux de Vitry.

Le désordre, l'incohérence sont le mode d'apparition de chacun des chapitres des *Essais*. Désordre d'une pensée qui ne démontre pas mais affirme et se contredit, qui s'avance sans aucun plan, dévoile mais voile, et se commente elle-même en des repliements labyrinthiques. Texte toujours en « travail » qui ne produit que des conclusions révocables et provisoires. De là sans aucun doute ce sentiment de *manque* qui risque vite de dénouer notre complicité de lecteur et de nous rendre étranger à l'œuvre. Il faudrait donc apprendre à lire les *Essais* comme eux-mêmes lisent dans le monde qui n'est justement pas, ici, un « livre ». Je suivrai une première hypothèse, souvent hasardée : une œuvre littéraire livre son propre mode d'emploi à mesure qu'elle s'avance. « *Tout mouvement nous descouvre* », dit Montaigne. C'est donc dans cette parole énigmatique à la fois déployée et enroulée sur elle-même que s'*expliquent* et se *donnent* les points de vue, les instances de toute interprétation. A ce titre les *Essais* nous conduisent à interroger ce désordre plutôt qu'à le réduire à un ordre latent mais essentiel qu'il suffirait d'extraire. Le devenir n'a pas de loi pour Montaigne, pas plus que la diversité, de raison.

En un siècle qui la rendait souvent confuse, Montaigne avait une connaissance exacte et précise de la tradition sceptique, ne confondait pas le nihilisme des Académiciens et le pyrrhonisme transmis par Sextus Empiricus et se rattachait souvent à ceux que le siècle des Lumières, avec Kant, appelle « une espèce de *nomades* qui ont horreur de s'établir définitivement sur une terre » (Préface de la première édition de la *Critique de la raison pure).* Montaigne comme « citoyen du monde » (Friedrich), l'ironie comme « exilée et apatride » (Novalis)... *L'Art de conférer,* en réorchestrant le thème du manque radical à l'être et à la vérité, nous lance dans une errance sans terme. « Nous sommes nais à quester la verité ; il appartient de la posseder à une plus grande puissance (...) /// Le monde n'est qu'une escole d'inquisition. // Ce n'est pas à qui mettra dedans, mais à qui faira les plus belles courses. » (p. 142) A l'image des *Essais* la « conférence » déplacera donc, à l'infini, sa propre fin. Je considérerai le déplacement et le mouvement comme l'*emblème* de notre chapitre. Cela amène deux types de conséquences :

— pour la *lecture,* déplacement à l'intérieur d'un texte en mouvement. « Lire une page des *Essais,* écrit Starobinski, c'est faire au contact d'un langage prodigieusement actif, toute une série de gestes mentaux qui transmettent à notre corps une impression de souplesse et d'énergie. » *(10)** Il faudrait donc accompagner le texte, le comprendre, mais sans faire de synthèse hâtive qui l'arrête.

— pour le *thème :* l'ironie comme *attitude d'esprit* est elle-même déplacement de question, changement de point de vue.

J'essaierai également de suggérer ce que l'ironie appliquée à l'ensemble du texte et non à des phrases isolées et rares ici, comme *mode de discours,* dans son organisation formelle doit à ce mouvement. Enfin l'ironie elle-même m'a paru, dans *L'Art de conférer,* subvertie, déplacée et ouverte à l'infini par le jeu comme déplacement superlatif.

La tradition philosophique comme l'usage quotidien associent couramment l'ironie et le jeu pour voir le plus souvent dans cet accouplement une compromission fatale pour l'ironie. Hegel qui verrait volontiers en elle le véritable poison qui emporta Socrate ferait du jeu le principal chef d'accusation : « L'ironie est le jeu avec le tout ; il n'y a plus rien de sérieux... toute vérité élevée ou divine se dissout en futilité... ce n'est que la profondeur du vide » (*Leçons sur la philosophie de l'histoire).* Au mieux, comme Jankélévitch, on sauve entièrement l'ironie, féconde et généreuse, mais à condition qu'elle soit « humoresque » c'est-à-dire, entre autres, qu'elle ne se serve du jeu qui peut devenir un « piège » que comme d'un auxiliaire. *(3)* Elle lui emprunterait son dynamisme toujours renouvelé, son désintéressement, mais pour le dépasser, et poser les jalons d'un *progrès,* établissant une vérité « plus lumineuse », *(3)* plus essentielle, quand le jeu ne fait que s'enivrer de son propre mouvement. Je proposerai — c'est mon deuxième parti pris — d'inverser cette relation ancillaire d'un jeu « ontologiquement dévalué » depuis Platon (E. Fink) *(6)* et d'une ironie respectable au moins parce qu'elle fut socratique, donc à la naissance de la philosophie même. Une telle interprétation du jeu est discutable et je voudrais montrer que dans *L'Art de conférer,* le jeu est condition, moteur de l'ironie, mais aussi son couronnement et sa fin. Dans la clôture et le repli qu'il implique — puisqu'il faut renoncer à toute certitude hormis peut-être à l'évidence du moi — pourraient figurer une arme, une pensée, plus terrible encore pour notre sérieux quotidien.

I. Lire

C'est à J.Y. Pouilloux que l'on doit un « protocole de lecture » *(8)* en forme. Disons plus schématiquement que deux stratégies ont été proposées pour rendre le texte des *Essais* intelligible dans son désordre. On peut d'abord renoncer à s'enfoncer dans ce texte « foisonnant » et lire pour élire, goûter des formules que leur évidence plastique, rythmique, et leur verbe — « être » de préférence à l'indicatif présent paré de nuances éternitaires — apparentent à des *maximes* de morale. Tradition du « florilège » largement illustrée pendant la Renaissance et à laquelle Montaigne *semble* sacrifier lui-même. Une longue tradition humaniste a ainsi cantonné Montaigne dans le domaine d'une morale comprise comme étroitement normative, comme ensemble de règles à respecter pour atteindre le bonheur ou la vertu. L'objection à ce type de lecture est d'une grande banalité mais reste invincible : il est facile d'extraire une phrase et de la tordre à sa guise pour simplement « donner voye à son opinion » (III-11). Il n'est pas défendable de faire d'une phrase extraite d'un contexte l'image grossie, emblématique de l'ensemble. Procédé particulièrement inadéquat puisque Montaigne ne cesse de faire bourgeonner dans l'espace d'une virgule des additions souvent divergentes. Les résultats en sont, en outre, souvent cocasses puisqu'à chaque maxime on peut opposer une maxime contraire. Que faut-il attendre de la philosophie ? « Que philosopher c'est apprendre à mourir » (I-20). Mais aussi : « La philosophie nous apprend à vivre » (I-26). A celui qui conclura donc que la philosophie nous apprend les deux on pourra opposer sans peine : « Il nous faut abestir pour nous assagir » (II-12), etc. Un alignement de maximes n'apprend rien de la continuité d'une pensée.

Quel ordre ?

Une deuxième stratégie consisterait à systématiser l'incohérence, à recomposer un chapitre en rangeant différemment, à rendre linéaires les méandres de la pensée, à mettre de l'*ordre,* à déblayer pour pouvoir extraire le sens caché étant entendu que tout ce qui le dissimulait était pure négligence, fantaisie accidentelle, licence, imperfection. Le désordre serait donc à réduire plus qu'à interroger. Pierre Charron, longtemps considéré comme le disciple de Montaigne, s'est essayé à réécrire les *Essais* et notamment *L'Art de conférer* dans son chapitre II-9 *De la sagesse* intitulé : « Se bien comporter avec autrui » *(8)*. Il y parle de la bonne conversation, gomme tout ce qui n'a pas trait directement au sujet et classe les règles à suivre en une sorte de code des bonnes manières. Le problème est que les digressions, les remarques superflues — sur les superstitions, l'élection des rois — importaient peut-être plus que cet ordre insipide. Mettre en ordre c'est « en fait, donner autre chose » *(8)*. Voici un autre exemple de déconvenue : soit la proposition suivante dans *L'Art de conférer :* « Je festoye et caresse la verité en quelque main que je la trouve, et m'y rends alaigrement, et luy tends mes armes vaincues, de loin que je la vois approcher (p. 139). Quel bel exemple d'humilité ! Montaigne apôtre de l'humanisme qui sait s'abnier pour accueillir la vérité venant de l'autre ; mais ce qui suit infléchit déjà cette interprétation : l'autre est non pas célébré mais accusé d'imposture par faiblesse et lâcheté : « /// Toutefois il est certes malaisé d'y attirer les hommes, de mon temps ; ils n'ont pas le courage de corriger, parce qu'ils n'ont pas le courage de souffrir à l'estre, et parlent toujours avec dissimulation en présence les uns des autres. » Enfin la comparaison qu'il établit entre son procédé et celui de Socrate parachève la contradiction : « Ce que Socrates recueilloit, tousjours riant, les contradictions qu'on faisoit à son discours, on pourroit dire que *sa force* en estoit cause, et que l'*avantage ayant à tomber certainement de son costé,* il les acceptoit comme matière de nouvelle gloire. » *(Ibid)* L'humilité était donc feinte et tactique pour préparer et magnifier une victoire certaine. Et si Montaigne aime à se faire plier sous la force de la raison de son adversaire (p. 140), il en disqualifie une bonne partie d'avance : « /// Il est impossible de traitter de bonne foy avec un sot. Mon jugement ne se corrompt pas seulement à la main d'un maistre si impetueux mais aussi ma conscience. » *(Ibid.)*

Le désordre est le désordre

Montaigne déjoue dans l'essai sur la vanité toute entreprise critique réductrice à l'excès et justifie ainsi sa volonté de ne jamais rien supprimer de son texte : « Nous corrigeons aussi sottement souvent comme nous corrigeons les autres... Moy à cette heure et moy tantost sommes bien deux ; mais quand meilleur je n'en puy rien dire. Il ferait beau être vieil si nous ne marchions que vers l'amendement. » La lecture doit donc être *polyphonique* et conserver ses contradictions, interpréter ses opinions divergentes comme telles sans chercher à réduire leur portée. Il faut suivre le texte dans sa *succession* pour reconnaître que les renversements de sens d'un paragraphe à un autre ne définissent pas une position stable de Montaigne mais traduisent une *tension,* un déplacement perpétuel. Nous nous en souviendrons pour définir l'ironie comme mode de discours.

Mais cette deuxième stratégie, ordonnatrice et rassurante, se donne des armes plus insidieuses. Montaigne, rappelle-t-on, néglige de composer par insouciance ; ou refuse de le faire par incapacité. C'est là un défaut qu'il confesse le premier. Friedrich a relevé quelques-uns de ces nombreux passages où il déprécie lui-même son ouvrage qualifié de « barbouillage », « d'amas » de « fricassée ». Citons justement dans *L'Art de conférer :* « // Je hasarde souvent des boutades de mon esprit, desquelles je me deffie et /// certaines finesses verbales dequoy je secoue les oreilles ; // mais je les laisse courir à l'avanture, /// Je voys qu'on s'honore de pareilles choses... Je me présente debout et couché, le devant et le derrière, à droite et à gauche, et en tous mes naturels plis. » Il parle de lui, peint « ses conditions et humeurs » et pourvu qu'il soit fidèle à lui-même et reste dans les limites de son moi, son livre peut errer où bon lui semble. On pose donc une équivalence exacte entre l'homme et l'œuvre. Cette explication n'en est pas une puisque le désordre n'est que transféré des *Essais* à Montaigne lui-même sans qu'on en rende compte autrement. On nie donc toute autonomie à l'œuvre une fois constituée.

On a pu expliquer aussi que Montaigne voulait manifester par là son acquiescement au désordre de l'univers et faire de lui un écrivain baroque, ou qu'au contraire le désordre n'était qu'un masque diplomatique, jeté sur des opinions fondamentalement ordonnées mais subversives et dangereuses. Le désordre est donc là pour déjouer une censure à une époque où, il est vrai, mieux valait prudence garder. Ces explications ne sont évidemment pas « fausses » car rien n'est univoque chez Montaigne, mais procèdent d'un postulat inavoué selon lequel l'œuvre découlerait d'un projet conscient, qu'elle ne serait que cette course vers la fin que l'auteur s'est proposée et que tous ses éléments seraient subordonnés à ce but suprême. Or les *Essais* ne sont ni une thèse de doctorat ni un manifeste politique. Il est banal mais utile de rappeler ici qu'une œuvre d'art est un lien indissoluble entre un univers intérieur et la forme sensible qu'il se donne. Ce qui ne veut pas dire que l'un engendre l'autre spontanément — l'émotion immédiatement vécue n'est pas en elle-même artiste — mais que cet univers a besoin pour se trouver de *cheminer* par une forme, de l'exécuter. Écrire les *Essais* c'est à la fois *exercer, tenter, improviser,* c'est-à-dire justement ne pas suivre un plan antérieur, une idée préexistante dont l'œuvre elle-même ne serait qu'une copie plus ou moins fidèle. La conception et l'exécution sont *contemporaines.* Nous sommes donc condamnés à nous déplacer avec et dans le texte. C'est dire que nous sommes renvoyés à l'ironie et au jeu.

II. L'ironie subvertie

Il serait vain de vouloir *partir* de définitions, appliquées ensuite au texte de Montaigne. Il n'en est pas d'exhaustive, et les théories de l'ironie et du jeu (en philosophie et en littérature) restent à construire. La définition est notre « queste ». Nous tâcherons de nous en approcher, empruntant aux philosophes (ironie comme *attitude*) ou aux linguistes (ironie comme *mode de discours*) de quoi la pressentir ici.

A première vue il n'y a guère de rapport entre la conscience questionnante qu'est l'ironie, qui refuse d'adhérer mais fait profession de détachement avec une réalité dont elle s'absente toujours, désenchantée, qui nous réveille de nos songes et de nous-mêmes, qui dissipe tous les vains prestiges de l'apparence présente, qui ne respecte ni le sacré ni l'inouï avec la fantaisie inconsciente immédiate, enivrée, émerveillée du joueur. Il faut penser pour ironiser, non pour jouer. On ne peut s'empêcher pourtant en épousant le mouvement d'une séquence, d'un texte ironique, de rencontrer le cortège des figures du jeu.

Les deux ont en commun d'être purs « principes d'alerte et de mobilité » *(3)* puisqu'ils ne cherchent nullement à fonder — comme par exemple l'art — une œuvre, à renvoyer à une production détachable d'eux-mêmes. Ironie et jeu sont cette activité même, la production et non le produit où ils viendraient se dissoudre, l'opération perpétuelle et non son ouvrage. Ils sont pur passage, mouvement toujours naissant, premier, « inchoatif ». Toute étape, toute pétrification est contre leur nature. Le jeu est pur élan si on veut bien le voir avec le regard enchanté de celui qui joue et non le regard désenchanté de Platon qui ne voyait en lui qu'une imitation, une mimêsis. L'ironie, si elle ne veut s'abolir dans le dogmatisme doit rebondir constamment, osciller entre les extrêmes, sauter de contraire en contraire. Elle ne cesse de faire, de renverser ce qu'elle a pu dresser. L'ironie « mobilise » *(3)* même son interlocuteur ; elle le meut et le promeut. Si elle affirme le contraire de ce qu'elle veut faire entendre, si elle procède par antiphrase contrevenant à la loi de sincérité du discours, à la simplicité, en disjonctant l'intention — consilium — et la signification littérale — thema — *(1 b)*, elle s'affiche et donc s'abolit d'une certaine manière en s'énonçant. Elle n'est pas le mensonge « car elle veut être non pas crue mais comprise » *(3)*, *déchiffrée :* elle en offre les moyens en laissant des *indices* — gestes, intonations, contexte — qui permettent d'accéder à un autre sens, épuré celui-là. Elle demande donc à son interlocuteur, comme le remarque Jankélévitch, de parcourir en sens inverse le chemin de la lettre à l'intention. *(3)* Il semble pourtant qu'on puisse discerner en elle un germe d'immobilisme. L'ironiste n'a-t-il pas justement comme le Socrate revu et corrigé par Platon une arrière-pensée, « arrêtée », qu'il voudrait voir adopter par son interlocuteur ?

Ironie de monde clos ?

En plus de l'inversion sémantique ou plutôt de ce que Knox appelle « un degré de conflit entre une signification apparente et un sens inattendu qui est en fait le sens réel » *(2 b)*, composante proprement linguistique, l'ironie comprend aussi une composante dite « illocutoire », une mise en scène de rôles, un auteur qui « attaque, agresse, vise une cible » *(1 a)*, une victime, sous les yeux du récepteur. Elle se distingue de la raillerie pure et simple en ce que sa stratégie spécifique vise en fin de compte à ce que la victime « enfin se reconnaisse » et veuille d'elle-même s'amender et accéder à la lumière. Mais elle en est toujours très proche. C'est par cette composante illocutoire qu'elle est effectivement structurellement liée à un art de persuader : elle s'attaque au scandale des autres à partir d'un point de vue, d'une position sur laquelle elle campe fermement. Cette ironie-là ne joue qu'à moitié, juste assez pour entrer dans le jeu de l'autre, pour « faire comme si » mais elle est imbue de sa supériorité, cultive l'inégalité à son profit et comprend une bonne dose de pédagogie directive c'est-à-dire de discours monologique. Elle ne nie que pour affirmer et imposer un consensus à ses couleurs. L'ironiste ne parle que depuis « un hors-jeu ». Son ironie « résolue » n'est-elle pas alors celle d'« un monde clos » ?

Une première lecture de *L'Art de conférer* repère vite en effet quelques exemples d'agressivité contre la « suffisance de propos » accompagnée de « grandeur de fortune et de recommandation populaire » : « Suyvez cette pointe philosophique un pouignart à la main ». (p. 150) N'était le jeu de mot qui distancie l'auteur de cet appel au crime, l'agressivité sature la phrase comme lorsque Montaigne récuse d'avance certains interlocuteurs : « // A quoy faire vous mettez vous en voie de quester ce qui est avec celuy qui n'a n'y pas, ny alleure qui vaille ? » (p. 140) Montaigne use alors non de la litote mais de l'*hyperbole,* publiant en majuscules leurs défauts : « Au bout d'une heure de tempeste, ils ne sçavent ce qu'ils cerchent ; l'un est bas, l'autre haut, l'autre costié. » (p. 141) Si les indices de l'ironie — distorsion sémantique — sont ici minces (exagération, question feinte...), ils sont plus apparents quand Montaigne s'attaque à la logique : « // Qui a pris de l'entendement à la logique ? où sont ses belles promesses ?... // Voit-on plus de barbouillage au caquet des harengeres... ? » (p. 141). Ou encore lorsqu'il parle de ceux qui profitent de leur « gravité et fortune » pour emporter l'adhésion : « Non seulement les mots, mais aussi les grimaces de ces gens là se considerent et mettent en compte, chacun s'appliquant à y donner quelque belle et solide interpretation. » (p. 145)

C'est que Montaigne prend apparemment très au sérieux la conférence et regrette la gratuité de ses débats, l'impunité qu'y trouve l'imposteur, au point d'en appeler à une légalité, à une justice codifiée contre les excès de ceux qui croient qu'en disant n'importe quoi ils ne font rien de mal et ne franchissent aucun Rubicon : « /// Noz disputes devoient estre defendues et punies comme d'autres crimes verbaux. Quel vice n'esveillent elles et n'amoncellent, tousjours regies et commandées par la cholere !... » (p. 140) Le Montaigne dominateur s'apparente non au Socrate démonique qui enivre Athènes de sa dialectique mais à celui qui accule impitoyablement son adversaire dans l'impasse. Nous atteignons même un pôle extrême où l'ironie refuse d'entrer dans le jeu de l'autre et ne vit que dans le silence faussement approbateur qui laisse parler l'autre parce qu'il sait qu'il court à sa perte : « Vous leur prestez la main. A quoy faire ? Ils ne vous en sçavent nul gré, et en deviennent plus ineptes. Ne les secondez pas, laisses les aller ; (...) // c'est injustice et inhumanité de secourir et redresser celuy qui n'en a que faire, et qui en vaut moins. J'ayme à les laisser embourber et empestrer encore plus qu'ils ne sont, et si avant, s'il est possible, qu'en fin ils se recognoissent » (p. 152) : affirmation d'un point de vue surplombant, d'une certitude, du haut de laquelle Montaigne s'amuse à regarder les autres.

Mais quel ordre ?

Anti-jeu aussi, semble-t-il, qu'une telle ironie qui a l'air de parler au nom de l'ordre qui suggère fixité et immuabilité plutôt qu'élan : « Tout un jour je contesteray paisiblement, si la conduicte du debat se suit avec *ordre.* /// Ce n'est pas tant la force et la subtilité que je demande, comme l'ordre. » (p. 140) : proposition étonnante de la part d'un auteur qui méprise la composition, l'*ordo tractandi* des rhéteurs, de Cicéron, et les « ordonnances logiciennes » d'Aristote pour défendre « l'ordo neglectus ». Et l'ensemble des *Essais* est bien une défense et illustration de l'improvisation, de la digression comme sa manière à lui (« Mon dessein est de représenter en parlant une profonde nonchalance et des mouvements fortuites et impremeditez, comme naissant des occasions presentes » III-9. Voir sur ce point toutes les citations relevées par Friedrich.) Une ironie aux indices éclatants (mise en relief des qualités supposées : « Ayez un maistre és art, conferez avec luy », pour mieux faire apparaître la distorsion avec les qualités réelles : « Qu'il oste son chapperon, sa robbe et son latin (...) vous le prendrez pour l'un d'entre nous, ou pis. (...) Pour estre plus sçavants, ils n'en sont pas moins ineptes. » (p. 141) n'épargne donc pas, à l'intérieur de ce même paragraphe l'ordre de ces rhéteurs : Montaigne balance toute la tradition savante, théologique, juridique, rhétorique. Son ordre à lui « se voit tous les jours aux altercations des bergers et des enfants de boutique » et il n'est pas incompatible avec la spontanéité, le tumulte et l'impatience — le jeu donc — qui « ne devoyent pas de leur thème » (p. 140). Il n'est pas non plus, comme on pourrait le croire superficiellement, le fait de parler chacun à son tour, de ne pas briser les rangs de la dispute, puisque Montaigne précise : « s'ils préviennent l'un l'autre, s'ils ne s'attendent pas, au moins ils s'entendent. » (*Ibid.*) Il s'agit d'abord, pour Montaigne, de s'assurer que sera préservée cette forme subjective, authentiquement sienne, de penser ou de parler, et que sa quête n'aura pas été altérée par des mouvements passionnels qui lui font perdre de vue son objet : « // Mais quand la dispute est trouble et des-reglée, *je quitte la chose* et m'attache à la forme avec despit et indiscretion, et me jette à une façon de debattre *testue,* malicieuse, impérieuse dequoy j'ay à rougir après. » : Montaigne, on le voit, entend impulser toujours la dispute mais sans la conclure. On dira donc deuxièmement que dans ce monde où les contraires s'appellent les uns les autres, il faut éviter que la tension « testue », à force d'énergie, ne se transforme en son contraire, c'est-à-dire en pesanteur, ne menace de devenir statique, de clore le débat (« impérieuse »). L'ordre de Montaigne, par un renversement ironique, ne vise donc à rien d'autre qu'à *préserver les droits de la mobilité.*

Il en est de même pour la critique que fait Montaigne à ceux qui, dans la conférence « se rapportent de leur entendement à leur mémoire » et en « établissent leur fondamentale et suffisante

valeur » et « ne peuvent rien que par livre » : la mémoire, la doctrine, pour lui, outre qu'elles jouent leur rôle de masque (« *sub aliena
umbra latentes* »), exposent aux deux variantes de l'*immobilité* que
sont l'excès de gravité, de pesanteur, absorbant toute impulsion et la
dissipation totale par atomisation : « En mon pays, et de mon temps,
la doctrine amande assez les bourses, rarement les ames. Si elle les
rencontre mousses, elle les *aggrave* et *suffoque*, *masse* crue et indigeste ; si desliées, elle les *purifie* volontiers, clarifie et *subtilise jusques à l'exinanition...* » (p. 142)

Quel jeu ?

En dénonçant d'autre part le jeu des imposteurs (p. 141), Montaigne tente toujours de conjurer le malheur que constituerait l'absence
de dynamisme. A y bien regarder, leur jeu n'est qu'une caricature
puisqu'il vise à produire un résultat séparable et univoque, il a sa fin
hors de lui-même et le masque dont il s'agit n'est qu'un mensonge. Il
s'agit pour eux de faire une copie ressemblante qui, loin d'instaurer
une irréalité féconde ne vaudrait que par la réalité à laquelle elle ren-
verrait. Ils cherchent la *semblance* et non l'*apparence* problématique
et merveilleuse du jeu. Ils ne veulent que creuser un *écart* entre deux
pôles *fixes :* eux-mêmes et leur masque. Platoniciens sans le savoir,
ils ne visent qu'une *mimêsis*. On se souviendra que Platon considère
le jeu comme incompatible avec la rigueur du concept et comme assigné dans le monde du sensible, pensé seulement à l'aide du modèle de
l'optique, comme image réfléchie d'un réel qui n'est lui-même
qu'imitation de l'Idée archétype. *(6)* Bien loin donc de parler comme
présence pleine, à partir d'un centre hors du jeu, Montaigne semble
passionnément chercher à en sauver, de l'intérieur, les possibilités de
jaillissement, de déplacement. De là tous les correctifs dont nous
reparlerons, qui sont autant de changements de point de vue, de
retournements de la conscience ironique. Citons seulement :

Il faut éviter « le continuel commerce et fréquentation que nous
avons avec les esprits bas et maladifs », « la sottise est une mauvaise
qualité » (p. 137) et Montaigne d'ajouter : « de ne la pouvoir supporter... c'est une autre sorte de maladie qui ne doit guere à la sottise
en importunité. » (p. 137) De même, la contestation des hiérarchies
sociales tourne court : « Les dignitez, les chaiges, se donnent necessairement plus par fortune que par merite » : ce qui n'est pas comme
on le croirait le signal de la subversion ; Montaigne précise aussitôt :
« et l'on a tort souvent de s'en prendre aux Roys. Au rebours, c'est

merveille qu'ils y aient tant d'heur, y ayant si peu d'adresse. »
(p. 147)

On voit que cette ironie agressive, sous-tendue par une certitude,
rhétorique provisoire impatiente d'affirmer une vérité univoque, et
que l'on aurait pu croire empressée de conclure, est en fait une ironie
de *monde ouvert*, qui vise à relancer la mobilité un instant compro-
mise, qui maintient l'ambiguïté, le problématique. Ironie paradoxale, mélangeant, télescopant les opposés, et que Bakhtine relie à
une tradition *carnavalesque*. Mais cette ironie infinie, ouverte, ne
recèle-t-elle pas une contradiction en elle-même ? Ne va-t-elle pas à la
fois conséquente et enivrée de ses pouvoirs, ironiser sur elle-même,
consentir à sa disparition, se nommer pour disparaître en système,
bref se détacher de son détachement lui-même ? Ne va-t-elle pas
comme Descartes par l'acte même de douter, redécouvrir un fond de
sérieux ? Où puiserait-elle la force de ne pas s'anéantir ?

III. Ironie et jeu
comme vision du monde

Le moment premier de cette ouverture est certainement celui où
l'ironiste se retourne contre lui-même, où l'ironie cesse de s'opposer
pour « réfléchir ». Étape essentielle dont les ironistes romantiques
allemands, enivrés de leur pouvoir de nier, de tout refaire à leur
guise, ont voulu faire l'économie. Ironie égocentrique que la leur,
découverte d'un jeu libre de toute contrainte principe de tout savoir
— ayant retenu de Kant que le sujet crée son objet — maître de la
connaissance et du monde. Cette ironie est contre l'adhésion comme
Sacha Guitry était contre les femmes, contre, tout contre. Le déroulement de la vie de Schlegel ou de Liszt montre combien ces fanati-
ques déçus aspiraient à fonder un ordre, à *croire* (quand ce n'est pas
à « entrer dans les ordres »).

Décentrement

Ce peut être toujours un « office de charité » que de dénoncer les
vices des autres : « tousjours l'advertissement est vray et utile » mais
évitons le ridicule d'oublier ce qui, en nous, peut être la visée d'une
ironie étrangère, que l'ironie ne soit pas unilatérale, dupe d'elle-
même : « /// Noz yeux ne voient rien en derriere... nous nous

moquons de nous sur le subject de nostre voisin et detestons en d'autres les defauts qui sont en nous plus clairement... J'entens que nostre jugement ne nous espargne pas d'une interne jurisdiction. » (p. 144) Thème évidemment capital dans l'ensemble des *Essais* — « je regarde dedans moy, je me considère sans cesse, je me contrerolle... » — mais qui n'est pas tant ici celui de la descente en soi-même que du creusement d'un espace intérieur mobile où le sujet va se perdre et déployer un effort, une tension, perpétuels. Montaigne applique à lui-même le regard critique qu'il portait sur les autres, accuse son « impatience » « car c'est tousjours un'aigreur tyrannique de ne pouvoir souffrir une forme diverse à la sienne. » (p. 143) Il s'agit en ajoutant les exposants de parvenir à une véritable *surconscience* de soi : « Mon advertissement se peut-il pas renverser contre moy ? ».(p. 144) Il suggère même une réflexion sans fin sur le dédoublement de la conscience : « /// Myson, (...) interrogé dequoy il rioit tout seul : ''De ce mesmes que je ris tout seul'', respondit-il. » (p. 143)

Il faut en marquer toutes les conséquences pour l'ironie et pour le jeu. L'étude de l'ironie, comme le dit Mme Kerbrat-Orecchioni *(1a)* exige que l'on sache qui parle, quel est le sujet d'énonciation qui juge et qui évalue. Or Montaigne pulvérise ce qui pourrait devenir ce centre de référence en le faisant exister sur le mode négatif. Il veut bannir la sottise, mais s'accuse de la mépriser et proclame ses vertus indirectement productrices : « Tous les jours la sotte contenance d'un autre m'advertit et m'advise... » (p. 137) affirme le devoir de maîtriser ce qui dépend de nous : « les mouvemens publics dépendent plus de la conduicte de la fortune, les privez de la nostre » (p. 155) proclame la nécessité de nous ressaisir activement pour assurer la cohésion intérieure qui devrait mettre fin au dédoublement réflexif mais présente en même temps ce moi comme irrémédiablement traversé par l'inconstance et le manque, non pas présent à lui-même mais s'échappant : « // Je dis plus ; que nostre sagesse mesme et consultation suit pour la plus part la conduicte du hazard. Ma volonté et mon discours se remue tantost d'un air, tantost d'un autre... Ma raison a des impulsions et agitations journallieres et casuelles. » (p. 149) Il cite Virgile — on sait le rôle de densification de sa pensée joué par la citation latine — : « Tout change en les esprits : les cœurs suivent tantôt un mouvement puis l'autre : ainsi tournent au vent les nuages.... » (p. 149)

Tout cela reprend et cerne assez bien ce que Montaigne appelle ailleurs inconstance, insuffisance c'est-à-dire, étymologiquement, défaut de support, d'assise. Si l'espace interne est défini par son absence, il est donc impossible de se lancer à sa découverte, d'en faire la géographie, d'en relever les reliefs, de le situer puisqu'on ne saisit que du vent et qu'au centre il n'y a rien.

Il resterait évidemment à caractériser les rapports entre le moi-étendue et le moi-conscience de soi qui se meut en elle, mais on peut dès maintenant souligner que l'espace de l'ironie est homogène ou plus exactement absent de tout point de référence privilégiée, un lieu décentré. Rappelons-nous l'apologie de R. Sebond où Montaigne refuse sans lamentation aucune d'accorder à l'homme une place privilégiée dans l'univers. Si nous appelons centre, avec Derrida, « ce point où la substitution, la permutation des éléments d'une structure sont impossibles » *(4)*, l'espace proposé ici s'apparenterait à celui que l'ethnologie moderne utilise pour expliquer le passage d'une structure à une autre : celui du hasard, de la discontinuité, de la disruption généralisée. Les conséquences en sont incalculables, Montaigne les a entrevues et on comprend mieux pourquoi un chapitre consacré à l'art de raisonner ensemble, de comparer les valeurs des arguments comprend en son milieu et à sa fin de longues disgressions sur la Fortune et l'Histoire. L'ironie et le jeu sont aussi des *visions du monde.*

Fortune

La Fortune désigne ici la chance comme la malchance, en fait l'ensemble des événements ; en elle-même elle est parfaitement indifférente « ni ennemie ni amie » *(7)* de la volonté humaine et se confond avec l'arbitraire absolu. Elle n'exclut donc pas la consonance du monde et de la volonté de l'homme à titre de simple possibilité. Une fortune systématiquement contrariante serait du même coup prévisible ; l'important est donc qu'elle puisse mettre en échec la volonté opiniâtre en déjouant ses plans ou par exemple en déconnectant capricieusement l'acte de son effet, de l'intention qui l'a conçu, « l'événement » du « conseil ». Le seul maître du « succès des affaires » c'est-à-dire de leur déroulement comme de leur résultat c'est donc la Fortune : « l'heur et le mal'heur sont à mon gré deux souveraines puissances. C'est imprudence d'estimer que l'humaine prudence puisse remplir le rolle de la fortune. » (p. 148) Celle-ci la première imposera des hiérarchies sans fondement, absurdes au regard de nos critères habituels (p. 149). Loin de s'incliner devant nos mérites et de les couronner elle étend son pouvoir jusqu'à nous faire trouver méritoires ceux qu'elle place au sommet de la hiérarchie pour la simple raison qu'elle les y a mis . (Voir, p. 149, tout le paragraphe terminé par : « Parquoy je dis bien, en toutes façons, que les evenements sont maigres tesmoings de nostre pris et capacité. »)

Il semble que nous ayons là d'une part un exemple de ce qu'on a pu appeler une ironie de situation, ironie référentielle des choses elles-mêmes par opposition à l'ironie verbale. Montaigne parle ici sans manier l'équivoque pour nous rendre sensible l'ironie du monde, celle que nous appelons couramment l'« ironie de l'histoire », c'est-à-dire la contradiction entre deux *faits* simultanés, comme l'ironie verbale est opposition entre deux *niveaux sémantiques :* « /// On s'aperçoit ordinairement aux actions du monde que la fortune pour nous apprendre combien elle peut en toutes choses (...) n'aiant peu faire les malhabiles sages, elle les fait heureux à l'envy de la vertu (...) » (p. 148) « L'issuë authorise souvent une très inepte conduite ». (p. 148) Nous touchons là une ironie qu'Aristote considérait comme originelle puisqu'elle consistait pour lui en « ces intrigues dans lesquelles des faits fortuits ont l'apparence d'avoir été amenés par dessein — quand par exemple la statue de Mitys à Argos tue l'homme qui a été la cause de la mort de Mitys, en tombant sur lui au cours d'un spectacle public — » (*Poétique* 1452 a 7-9).

Autrement dit deux événements peuvent éventuellement frapper quelqu'un comme ironiques sans renvoyer pour autant à une intention d'ironiser de la part d'un narrateur. Une telle conception a toutefois l'inconvénient de supposer trop simplement une postériorité de la représentation par rapport aux faits : or l'esprit doit *lier* les faits pour distinguer ressemblances et dissemblances, doit éliminer, bref doit *construire* la réalité par une interprétation. Les situations ne sont donc pas ironiques par elles-mêmes, de manière « brute » et nous retrouvons la nécessité de remonter à l'instance qui juge et évalue. *(2 b)*

En évoquant les paradoxes qu'un destin capricieux nous envoie, Montaigne présente ici les hommes comme des jouets de la fortune, c'est-à-dire qu'il interprète la totalité du monde, du devenir pour dire que si les événements particuliers peuvent être relativement cohérents, organisés en effets, causes et conséquences, globalement ils n'ont aucune raison, aucun but, aucun sens.

Histoire

Dans une digression sur l'Histoire et les historiens il rend un hommage nuancé mais net à Tacite, le compare même à son Plutarque préféré. Il lui sait d'abord gré d'avoir, le plus souvent, et malgré son projet explicite, assigné à l'Histoire le domaine qui est le sien : celui des actes, des faits particuliers, de l'*anecdote*. « Je ne sache point d'autheur qui mesle à un registre public tant de considerations des mœurs et inclinations particulières (...) Cette forme d'Histoire est de beaucoup la plus utile. » (p. 155) Il le loue même d'avoir recueilli consciencieusement les événements les plus ténus, dévalorisés ou peu vraisemblables comme « les prodiges » sans avoir cherché à les rendre univoques, sans avoir altéré la perception qu'il en avait par un jugement global sur le déroulement de l'Histoire — « déduction » — qui essaierait d'instaurer un lien intelligible entre les événements, sans révéler de schéma, sans tenter de grandes synthèses : « (cette forme d'histoire) est plustost un jugement que deduction d'Histoire ; il y a plus de preceptes que de contes » (p. 155) c'est-à-dire qu'elle appelle plus une étude interprétative, subjective des caractères et des coutumes qu'une spéculation sur le cours de l'Histoire. L'Histoire doit pour Montaigne renoncer à être normative : « C'est leur rolle de reciter les communes creances, non pas de les regler ». (p. 157) Il s'agit de faire vibrer le particulier et de viser non pas l'éternité de la loi mais la minute de l'individuel, irréductible à tout système. Projet contradictoire — comment communiquer c'est-à-dire rendre *commun* ce qui est singulier ? — Montaigne le résout en rappelant inlassablement qu'il y a partout et toujours une marge d'incertitude interprétative c'est-à-dire une figure du jeu. Il clôt son essai par une affirmation qui ouvre des conséquences « incalculables » : « Tous jugemens en gros sont lâches et imparfaicts. » (p. 158)

Il reprocherait plutôt à Tacite de n'avoir pas été au bout de sa tâche et d'avoir eu mauvaise conscience chaque fois qu'il parlait de son cas particulier, de son moi, de son « idiotie » au sens étymologique : « Cela m'a semblé aussi un peu lâche qu'ayant eu à dire qu'il avait exercé certain honorable magistrat à Romme, il s'aille excusant que ce n'est point par ostentation qu'il l'a dit... Car le n'oser parler rondement de soy a quelque faute de cœur. Un jugement roide et hautain et qui juge sainement et seurement doit tesmoigner franchement de luy comme de chose tierce. » (p. 157)

Qu'il parle de la Fortune ou de l'Histoire, Montaigne *atomise* donc ce qui pourrait devenir unité intelligible. Il prend là sciemment le contre-pied des « théologiens et philosophes » et plus généralement d'une immense tradition historique et métaphysique qui fait de l'histoire un ensemble organisé autour d'un centre que celui-ci ait nom *origine* (« arché ») ou *but* (« telos »), qui cherche l'unité rassurante qui maîtriserait l'angoisse du devenir en proposant une perspective, en promettant l'émergence d'une vérité : révélation d'un Dieu, avènement de la raison, histoire d'un esprit qui se concevrait lui-même ou ce que nous appelons le « progrès ». Plus précisément Montaigne déplace le champ de la connaissance telle que son siècle la concevait. Le XVIᵉ siècle avait la passion des énumérations, des classifications, des taxinomies en tous genres parce qu'il poursuivait l'identification qu'il croyait possible entre la pensée et le monde, l'adéquation entre l'esprit et la matière. Il suffisait d'être un spectateur attentif et d'énumérer ce qu'on voyait. Montaigne ici voue cette adéquation à l'échec non seulement parce que la tâche de totalisation est infinie tant la matière est abondante, non seulement parce que la raison est infirme (« ployable et accommodable à tous biais »), traversée par les passions, mouvante dans un monde mouvant « et le jugeant et le jugé étant en continuelle mutation et branle », mais parce que la nature du domaine serait elle-même caractérisée par le jeu au sens où on dit qu'« une porte joue » par l'incertitude, « non parce qu'il est trop grand mais parce qu'il lui manque quelque chose » *(4)* : pas de loi qui n'ait une infinité d'exceptions, pas de jugement qui puisse résister à l'examen de la réalité mais pas non plus d'apparence qui ne se démultiplie et ne soit finalement équivoque et trompeuse.

Fragments

On peut donc dégager — trop rapidement — une parenté paradoxale mais bien plus profonde entre l'ironie et le jeu. Tous deux ne partagent pas seulement cette mobilité toujours renouvelée, cette activité pure de tout résultat, qui n'aurait d'autre fin qu'elle-même : tous deux ont en propre d'instaurer un rapport au monde à la totalité *par le fragment.* Ce que Schlegel appelait la « génialité fragmentaire » de l'ironie peut s'appliquer aux deux. L'ironie, rappelle Jankélévitch, est « morcelante » par essence parce qu'elle est détachement, distance ; parce que, par son entremise, ce qui monopolisait l'horizon de la conscience — absolu de la foi ou de la croyance — devient objet parmi d'autres, défini négativement par les autres objets, par ceux qui ne sont pas lui. « Omnis determinatio est negatio » « Le positif est privatif » *(3)* ; or l'ironie fait de tout un quelque chose disjoint, un parmi des « membres disjecta », une opinion parmi d'autres. Autrement dit l'être ironique a renoncé à faire du monde une somme d'objets dont on pourrait faire le tour par une énumération exhaustive et atteindre à force de patience et de... souffle. Il sait qu'il n'aura jamais devant lui le tout du monde mais un objet dont les frontières sont tracées par ce qu'il n'est pas. Son rapport à la totalité est donc une constante *allusion :* ce n'est qu'en

posant le fragment qu'elle y tend ; la totalité est toujours *proche,*
prochaine, *dérivée* de l'objet actuel.

Le jeu est également fragmentaire à deux titres : parce qu'il lui
manque, comme le dit Derrida, « un centre qui arrête et fonde le jeu
des substitutions ». *(4)* Nous avons vu que le moi, la sagesse, la
vérité, sont toujours « flottants » et qu'on ne peut atteindre la totalité non parce qu'il y aurait trop de choses mais parce que tout joue-
rait indéfiniment. Nous retrouvons l'image de la pensée de Montaigne comme déplacement, exil, voyage : il ajoute à plusieurs reprises
que le jeu des interprétations est infini : « Il y a plus à faire à interpreter les interpretations qu'à interpreter les choses. » Dans la diversité on peut choisir à l'infini une configuration ou une autre.

En un deuxième sens, le jeu consiste à élire un espace à l'écart de la
société, stade ou temple. Huizinga rappelle comme élément de définition que son activité ne s'exerce que dans un « espace expressément
circonscrit » « le joueur se déguisant, accentuant son étrangeté par
rapport au monde. » *(5)* A l'intérieur de cet espace le jeu choisit quelques objets dont la fonction est de renvoyer de façon également allu-
sive, pressentie, à la totalité. Comme le montre E. Fink dans une
profonde analyse du jeu cultuel, du masque, de la magie, les objets
valent comme « symboles » *(6)*, c'est-à-dire au sens étymologique
comme fragments qui appellent un complément, ne valant que
comme actualisation de la force qui régit le tout et n'étant là que
pour conserver la mémoire d'une présence ouverte au monde, à toutes les forces qui le traversent quand « la communauté des hommes
vit *dans* le monde et n'est plus *en rapport* avec lui » et n'a plus avec
les choses que « l'attachement engourdi » de plus en plus technicien
ou utilitariste qu'impose le travail.

Conséquences pour l'ironie

Or c'est ici que le principe du « jeu » peut nous permettre de comprendre comment s'unissent l'ironie comme attitude philosophique
et l'ironie comme mode de discours — c'est-à-dire le texte dans son
organisation formelle. « Comment qualifier d'ironiques non pas des
phrases isolées mais des parties entières d'une œuvre ? » *(2a)*
L'analyse séquentielle est de peu de secours quand l'ironie, à l'échelle
de tout un texte se prive des signaux qui permettraient de la faire
comprendre tout en la gardant à moitié dissimulée, ambiguë. B. Allemann rappelle que les « théories linguistiques du signe et de l'information seraient bien embarrassées si elles voulaient décrire le mode
de parler ironique avec les moyens dont elles disposent ». *(2 a)* Or on

ne peut s'en remettre à l'intuition, au je-ne-sais-quoi. Il n'y a ici ni gestes, ni mimiques, ni clins d'yeux possibles pour nous mettre en éveil. Analysant la phrase célèbre de Marc-Antoine dans *Jules César* de Shakespeare : « *And Brutus is an honourable man* », B. Allemann remarque justement que c'est la répétition qui la fait comprendre comme ironique. La première fois, l'ironie n'est que pour l'auteur, mais elle ressortira ensuite ouvertement, et enfin trop affichée se transformera en pur et simple mépris, en un déjà plus que l'ironie. La *continuité* du texte, son *mouvement*, le *contexte* — sans que le renvoi soit trop clair — est donc le signal central de l'ironie... « Tout mouvement nous descouvre... »

Il n'est pas d'autre part nécessaire qu'il y ait contradiction *logique* entre le message vrai et le message littéral. Il peut s'agir d'une simple opposition, d'un « champ de tension », d'une « aire de jeu » *(2b)* dans l'espace du texte où l'on pourra voir des allusion d'une partie à une autre, des mises en relation qui feront ressortir les différences, bref où pourront circuler des renvois aussi libres que des rayons lumineux (Montaigne parlerait de « veues obliques »). On a pu montrer ainsi *(9)* que dès le premier chapitre du premier livre des *Essais* la juxtaposition pure et simple des masses de texte, des interprétations, des réflexions, était le procédé favori de Montaigne qui laisse ses plaques de texte *jouer* entre elles, se heurter, faisant jaillir leur différence ; un exemple heurtant un exemple contraire, un vécu télescopant une idéologie. Ce jeu de contrastes, ces corrections continuelles comme celles que nous avons évoquées sont le seul moyen rhétorique qui rende sensibles dans une forme *discursive,* des oppositions, des contraires *contemporains.* Ironie de clair-obscur qui n'est pas l'un *ou* l'autre mais l'un *et* l'autre, « insoluble dissonance » *(3),* que nous proposons d'appeler *situationnelle - textuelle* (étant entendu que ces deux adjectifs doivent rester accolés pour éviter l'inexactitude ou la lapalissade). *Textuelle* au sens où la linguistique parle d'un référent textuel, pour désigner dans une narration un objet qui ne renvoie pas forcément à une réalité localisable dans l'espace et dans le temps mais qui joue simplement le rôle d'objet : comme par exemple dans la phrase : « le héros posa sa montre sur la cheminée ». *Situationnelle* en ce qu'elle se réfère à un état du monde, *textuelle* en ce que cet état du monde n'est que le reflet de l'activité interprétative de Montaigne telle qu'elle s'énonce et s'organise dans le texte.

De là la place essentielle de *L'Art de conférer,* puisqu'on peut voir dans le dialogue inlassable avec lui-même, avec les autres la tonalité dominante de tous les *Essais.* Le dialogue, dit ailleurs Montaigne, est l'instrument idéal — comme chez Platon — : « pour loger plus décemment en diverses bouches la diversité et variété de ses propres fantaisies... », reflet de cette impuissance radicale à fixer les choses dans une contexture fixe, moyen de déployer les différences.

Le prélude à notre chapitre, avec son accumulation d'antithèses, est un hymne à la différence, à la « dissonance », où Montaigne voit une vertu *positive :* elle seule stimule et relance cette mobilité, cette vitalité de l'âme qui menace de retomber. Le lecteur est d'emblée lancé dans un balancement entre des contraires : « C'est un usage de nostre justice, d'en condamner *aucuns* pour l'advertissement des *autres.* » (p. 136) et invité à faire un usage fécond de la contradiction ne serait-ce que parce qu'elle montre ce qu'il faut fuir : « Les parties que j'estime le plus en moy, tirent plus d'honneur de m'accuser que de me recommander (...) Il en peut estre aucuns de ma complexion, qui m'instruit mieux par contrarieté que par exemple, et par fuite que par suite. » (p. 136) Il ne s'agit pas de bondir simplement, mécaniquement à l'autre extrême, ce qui serait stérile, mais de faire renaître un potentiel d'énergie : « Ce qui poind, touche, et *esveille* mieux que ce qui plaist. » (p. 137)

D'où cette conception quasi sportive, agonistique, du dialogue-lutte : « Si je confere avec une ame forte et un roide jousteur, il me presse les flancs, me pique à gauche et à dextre ; ses imaginations eslancent les miennes » (p. 137) tandis que « l'estude des livres, c'est un mouvement languissant et foible qui n'eschauffe point » (*ibid.*) C'est que pour Montaigne, héritier en cela d'Héraclite, dont il délaisse les conceptions cosmologiques, tout devenir présente une structure duelle, contrariée où s'affrontent le même et l'autre dans une *harmonie fondée sur le « polemos »,* jeu précaire d'assemblage des contraires, « concordia discors ». L'ironie serait donc *principe* et *conditions* de l'harmonie dans le dialogue. « Les contradictions donc des jugemens ne m'offencent ny m'alterent ; elles m'esveillent seulement et m'exercent. » (p. 138) « Je m'avance vers celuy qui me contredit, qui m'instruit. » (p. 139)

L'accord, « l'unisson », portent au contraire en eux la malédiction d'une énergie tarie, de la bassesse : alors que la contention le rehausse au-dessus de lui-même, « l'unisson est qualité du tout ennuyeuse. » Ceux qui s'empressent de faire de Montaigne un humaniste conciliateur, homme du juste milieu, de l'entente, du consensus, méditeront sur cette thématique de la passivité, de l'écoulement, que Montaigne applique aux esprits non « vigoureux » : « Il ne se peut dire combien (notre esprit) perd et s'abastardit par le continuel commerce et frequentation que nous avons avec les esprits bas et maladifs. Il n'est contagion qui s'espande comme celle-là... »

(p. 137) L'ironie, le dialogue ne valent pour Montaigne que comme producteurs de différences, comme moyens de fragmenter le monde, c'est-à-dire de désagréger les systèmes compacts trop bien organisés autour, à partir ou en vue d'un centre et de *conserver le multiple et le singulier*. « Et ne fut jamais au monde deux opinions pareilles, non plus que deux poils ou deux grains. Leur plus universelle qualité c'est la diversité. » (II-37)

IV. Le repli
et les figures du jeu

Après avoir répudié le monde, les autres, les « théologiens et philosophes » qui se croient autorisés à diriger les consciences quand ils ne sont qu'enfoncés dans l'erreur et les vaines apparences, Montaigne, comme souvent, dresse souverainement la clôture d'un domaine où il ne sera assujetti à personne : « Moy qui suis Roy de la matiere que je traicte, et qui n'en dois conte à personne (...) » (p. 158) Allons-nous retrouver là cette présence pleine et sûre d'elle-même d'où parlerait son ironie, cette certitude inébranlable, inaccessible à toute ironie ? Dieu merci Montaigne ne sacralise pas le territoire même de son moi dont on a vù avec quelle constance il dénonce son inconstance, son inconsistance, il enchaîne d'ailleurs dans le même mouvement : « ne m'en crois pourtant pas du tout ; je hasarde souvent des boutades de mon esprit desquelles je me deffie. » Il n'est même pas exclu que le mot « Roy » soit ici ironique : on a vu ce que pensait Montaigne de toutes les hiérarchies. Il ne partagerait pas cet aphorisme de l'*Athenaum* de Schlegel pour qui « c'est bien l'ironie la plus profonde de l'ironie qu'on en vienne à se dégoûter d'elle justement lorsqu'elle nous est offerte partout et sans cesse ». Montaigne, me semble-t-il, dépasse cette ironie mais pour quelque chose de beaucoup plus « joyeux ».

Il sacraliserait plutôt la frontière elle-même et non le domaine qu'elle renferme ou plus exactement l'*acte même de la tracer,* entre son moi et le monde et à l'intérieur de lui-même : « Je ne m'ayme pas si indiscretement et ne suis si attaché et meslé à moy que je ne me puisse distinguer et considérer à quartier. » (p. 158) Ce qui ne fait l'objet d'aucune ironie c'est le plaisir de se tendre pour saisir, c'est l'initiative, l'essai, la tentative de se pratiquer soi-même comme si, note Starobinski « l'énergie ne se dépensait que pour se percevoir ». Plaisir intransitif qui est « pure convocation de ses forces ». (*10*)

Montaigne accueille l'occasion qui lui est donnée avec un émerveillement qui décourage toutes les ironies : le corps, si engagé dans la joute oratoire, et son union avec l'âme ne sont jamais eux-mêmes réellement problématiques. Ainsi le fameux : « C'est tousjours à l'homme que nous avons affaire duquel la condition est merveilleusement corporelle » (p. 145) est aux antipodes de l'effort de Descartes pour lier deux substances *métaphysiquement* opposées. Montaigne éprouve leur consonance naturelle. Il n'y a plus qu'à l'essayer, c'est-à-dire aussi à la « déguster » (sens fréquent d'« essayer » au XVIe siècle.) Cette union-là résiste à tous les morcellements ironiques.

On peut rattacher à cet émerveillement l'acceptation délibérée mais détendue de l'ordre du monde. Ici aussi Montaigne se détache du détachement lui-même : « /// Somme, il faut vivre entre les vivants et laisser courre la rivière sous le pont sans notre soing, ou à tout le moins sans nostre alteration. » (p. 143) que l'on peut rapprocher de : « Heureux qui se laisse mollement rouler après le roulement céleste. » (II-17) Mais la fin de l'ironie coïncide avec l'élan dans le jeu de la Fortune et du monde.

Acceptation, mais délibérée : « Il faut ». Montaigne ne renie rien de cette harmonie qui naît de la tension entre les contraires. Le plaisir du jeu est d'abord un plaisir de retenir des dynamismes contraires, la passivité et l'activité. Comme le souligne encore Starobinski commentant le fameux texte où après une chute de cheval Montaigne « fermait les yeux pour aider à pousser (sa vie) hors et prenait plaisir à (s') alanguir et à (se) laisser aller... » : « même au point le plus crépusculaire de la conscience, il faut qu'intervienne une décision d'abandon. » (*10*)

« Le vuide » lui-même, l'oubli, l'absence de mémoire sont célébrés comme nous l'avons vu, comme des occasions d'activité, de mobilité. La mémoire « estant chose de qualité à peu près indifférente », l'oubli, le rien sont le contraire d'une force d'inertie mais quelque chose comme une liberté de créer : c'est au vide, rappelons-nous, que nous devons les *Essais :* « et puis me trouvant entièrement dépourveu et *vuide* de toute matière, je me suis présenté moy-mesme à moy pour argument. » Montaigne parle ailleurs du cadre vide du tableau qui appelle une débauche de figures fantasques pour l'habiter.

La voie est libre alors pour faire accéder à une autre connaissance, à une autre compréhension : par la joie, le plaisir des sens, le débordement : « Pouvons nous pas mesler au tiltre de la conference et communication les devis pointus et coupés que l'alegresse et la privauté introduict entre les amis, gossans et gaudissans plaisamment et vifvement les uns les autres ? Exercice auquel ma gayeté naturelle me rend assez propre ; et s'il n'est aussi tendu et serieux que cet autre exercice que je viens de dire, *il n'est pas moins aigu et ingenieux, /// ny moins profitable :* comme il sembloit à Lycurgus. » (p. 153)

Dégagés de notre histoire, insouciants, nous sommes alors plus disposés que dans la contention austère et volontariste à nous rendre *meilleurs :* « En cette gaillardise nous pinçons par fois des cordes secrettes de nos imperfections, lesquelles, rassis, nous ne pouvons toucher sans offence ; et nous entreadvertissons utillement de nos deffauts. » (p. 153) Ce serait donc dans l'élan du jeu que nous deviendrions plus sages...

Se replier sur soi mais pour y contempler l'indéterminé, l'instable, le possible, épouser la joie d'une saisie, d'un élan, d'une combinaison de ses forces, cesser de penser l'homme comme substance aux propriétés stables et l'ouvrir à l'acceptation muette d'un monde dont on lui rappelle la proximité, rejeter le fardeau de la mémoire, de l'histoire - interprétation, ignorer les fins du monde lui-même et voir dans l'absence de raison quelque chose d'originel et de créateur, voilà qui trace à jamais dans la grande sagesse de Montaigne les configurations infinies du jeu. L'ironie n'était-elle que pour y conduire ?

*   *

*

1. L'ironie comme *mode de pensée* nous est apparue comme une « ironie de monde ouvert », impliquant *emboîtement* à l'infini de mises en question. Permanent déplacement de toute instance interprétative. Ironie « en abyme ».

Montaigne, certes, parle de façon univoque de la Fortune, de l'élan qui le jette en lui-même, mais c'est pour les présenter euxmêmes comme ironiques, contradictoires, divers et pour les accepter comme tels.

Cette ironie se donne un moyen privilégié — *mode de discours* — que nous avons appelé ironie situationnelle-textuelle pour suggérer une perpétuelle tension entre la lettre et le sens par le heurt entre les phrases ou les paragraphes. Il faudrait étudier en détail comme elle fonctionne à l'intérieur de *L'Art de conférer* et entre ce chapitre et l'ensemble des *Essais...*

2. Ironie subvertie par le jeu qui seul en garantit la mobilité, la relance à l'infini, et vient la couronner dans le repli sur le moi qui n'a d'autre but que de faire et voir jouer en lui le « branle » universel, les forces contradictoires du monde, l'harmonieuse tension corps/âme.

3. La *sagesse* de Montaigne n'est donc pas modération plate, « intermédiaire ». Bien au contraire, comme le souligne Starobinski, Montaigne est « celui qui appartient en même temps à tous les extrêmes, sans déchirement, sans écartèlement ». (*10*)

4. Montaigne est un *penseur* pour qui le multiple, le devenir, le hasard, la différence et la variété ne sont pas des malheurs de la conscience, prétextes à réflexion nostalgique sur la perte du centre ou du sens. Ils sont occasions de jeu et de joie, de *ferveur*.

Il prendrait donc rang quelque part, parmi Héraclite, Lucrèce, Spinoza peut-être, et Nietzsche.

BIBLIOGRAPHIE

SUR L'IRONIE

1a. Kerbrat-Orecchioni, « Problèmes de l'ironie », in *Linguistique et sociologie,* n° 2, 1978, Lyon, PUL, 1978.

1b. P. Bangue, « Essai d'analyse pragmatique », *ibid.*

2a. B. Allemann, « De l'ironie en tant que principe littéraire », in *Poétique,* n° 36, nov. 1978.

2b. D.C. Muecke, « Analyses de l'ironie », *ibid.*

3. V. Jankélévitch, *L'Ironie,* Flammarion, 1964.

SUR LE JEU

4. J. Derrida, « La structure, le signe et le jeu », in *L'Ecriture et la différence,* Seuil, Points, 1967.

5. J. Huizinga, *Homo ludens,* Gallimard, 1951.

6. E. Fink, *Le Jeu comme symbole du monde,* Ed. de Minuit, 1960.

SUR MONTAIGNE

7. H. Friedrich, *Montaigne,* Gallimard, 1968.

8. J.-Y. Pouilloux, *Lire les « Essais » de Montaigne,* Maspero, 1969.

9. Hedy-Ehrlich, *Montaigne — la critique et le langage,* Klincksieck, 1973.

10. J. Starobinski, « Montaigne en mouvement, in *Nouvelle revue française,* n° 15, 1960.

ANDRÉ UGHETTO

L'hygiène de l'ironie
dans l'exercice de la tolérance

chez Montaigne
et à propos de « L'art de conférer »

Résumé

Le titre de cette étude constitue par lui-même une hypothèse de travail dont il n'est pas sûr que les conclusions confirment la validité. (L'exemple de Montaigne invite à ne pas s'inquiéter d'une éventuelle inadéquation entre le titre et le contenu d'un chapitre.) La tolérance de Montaigne commence, au sens physique, par le « jeu » qui existe entre celui-ci et celui-là, par l'« élasticité » des Essais capables d'accueillir des sujets très divers. Un résumé analytique de « L'art de conférer » permet de prendre la mesure de cette « tolérance » : c'est l'objet de la première partie, où nous nous sommes efforcé de rendre visible la structure du texte, en indiquant les reprises, les rappels de thèmes ainsi que les dérivations dont ils sont les prétextes.

Il est alors aisé de se rendre compte que l'ironie montanienne est moins un effet de style — quoique des tournures ironiques émaillent plaisamment l'expression de l'auteur — que le résultat des structures profondes de sa pensée dégagées « au fil du texte » : l'ironie est « structurale » (deuxième partie). L'examen, en troisième partie, du sort réservé à deux ensembles thématiques (éducation, ordre) montre comment les structures peuvent être ironiques : affirmation et négation se côtoient, le paradoxe règne ; Montaigne, à l'instar de Socrate, nous renvoie à nos propres interrogations.

On peut aussi rapprocher l'essayiste des penseurs orientaux pour lesquels l'alliance entre les contraires est le secret du grand équilibre cosmique. L'ironie et la tolérance de Montaigne apparaissent comme les manifestations solidaires d'un scepticisme fondamental, générateur d'une « distance de conscience », qui prévient, entre autres, les illusions de la tolérance militante, à caractère humaniste.

André Ughetto est professeur de lettres en classe préparatoire au Lycée Jean Perrin et à l'ESCAE de Marseille. Il a publié de nombreuses études critiques, contribuant notamment aux *Lectures de « Une vie »* de Maupassant (DIA, 1979). Collaborateur de la revue *Sud,* il est également cinéaste.

« Un titre est une sorte de drapeau vers lequel on se dirige. » Ce n'est pas nous qui le disons — à peine aurons-nous pris la responsabilité de le reformuler — c'est Giono qui l'affirmait dans une interview radiophonique à propos de son art de romancier, et le roman devenait, selon lui, une façon de remplir l'« obligation morale » contractée par avance à l'égard d'une appellation inventée pour déclencher les ressorts de l'imaginaire et la marche du fantassin de l'écriture sur un nouveau territoire romanesque dont il s'agit de faire le relevé en même temps que d'en réaliser la conquête. Pour nous, plus modestement, mais non sans analogie, le titre fut d'abord une hypothèse de travail, spontanément adoptée à la suite d'une relecture du chapitre 8 du livre III des *Essais*. Le mode hypothétique n'est-il pas ce qui précisément caractérise la démarche intellectuelle de l'essayiste ?

Nous voudrions au terme de notre étude avoir rempli le contrat de notre long intitulé (à la mode ancienne), mais il n'est pas exclu que nous soyons en chemin détourné de notre projet — peut-être à cause de quelque entraînement mimétique — , à l'exemple d'un auteur qui s'excuse ainsi de ne pas respecter les implications des siens :

« Je m'esgare, mais plustost par licence que par mesgarde (...) Les noms de mes chapitres n'en embrassent pas toujours la matière... » (III, ch. 9)

L'ironie de Montaigne peut en effet déjà se saisir au travers de « l'incongruence des titres » (1), de leur inadéquation par rapport au contenu effectif des chapitres. Pour s'en tenir au livre III, qu'il suffise de citer les chapitres 5 : « Sur des vers de Virgile » ; 6 : « Des coches » ; 11 : « Des boyteux », où les thèmes développés s'éloignent si évidemment du « programme » annoncé que celui-ci paraît remplir, à la limite, une fonction de camouflage de ceux-là. Le titre du 11 couvre ironiquement un débat sur les procès de sorcellerie. Dans le chapitre 5, le contingent de citations est moins fourni par Virgile que par Horace, Ovide, Catulle, etc., et les considérations littéraires, très accessoires, cautionnent une très libre discussion sur le mariage et l'amour. L'image a priori anodine des « coches », métaphore toutefois de l'incessant mouvement universel, fait dériver la pensée de Montaigne jusque vers le « Royaume de Mexico », dont la conquête par des soudards assoiffés d'or et de sang n'autorise pas, au vu de leurs coutumes empreintes de stoïcisme, à mépriser ses nobles habitants : admirable plaidoyer pour la reconnaissance de la dignité de l'Autre, d'un peuple non européen, qui établit immédiatement la réalité de cette vertu à laquelle rend hommage notre titre.

L'étymon latin de « tolérer », et encore l'acception physique du mot, induisent en tout premier lieu la vérification de la charge d'objets divers compris dans *L'Art de conférer* : quelle est la « tolérance » ou la plasticité de ce titre-programme (sans ambiguïté autre que celle avec laquelle nous recevons aujourd'hui le sens de l'expression ? Notre étude commence donc par une pesée assez minutieuse du texte associée à une tentative pour énoncer les relations, dans la plupart des cas implicites et souterraines, qui solidarisent entre elles des idées dont la contiguïté semblait le fait du hasard.

I. Au fil du texte

Une remarque sur le rôle du châtiment dans l'institution judiciaire (§ 1 et 2) est élargie en propos sur la valeur éducative de l'erreur et des conduites contraires à celles qui suscitent communément l'approbation publique. Les leçons les plus efficaces seraient le fruit de la réprobation. L'anti-modèle aurait plus de force pédagogique que le modèle. On s'instruirait *mieux par contrariété que par exemple.* Et telle est la démarche volontiers paradoxale de Montaigne comme écrivain : il s'efforce de rejeter les modèles littéraires ou ne les accepte qu'en guise d'antidotes, et ne les « tolère » qu'en les évitant, de crainte d'attraper leurs défauts en les imitant. (§ 3 et 4, pp. 136-137)

Cependant il existe bien un moyen d'action « éducative » directe : « le plus fructueux et naturel exercice de nostre esprit », celui que Montaigne nomme la « conférence », qui est en honneur parmi les sociétés policées, qui oppose les honnêtes gens en des combats verbaux, en des joutes oratoires où l'esprit a plus à gagner qu'en « l'étude des livres » (§ 5, p. 137).

La qualité de cet « enseignement » non livresque dépend toutefois de celle de ses interlocuteurs (sans doute tout le monde n'est-il pas capable de tirer profit d'un anti-modèle !). Toute conversation n'est pas propre à nous élever, qui risque de nous mettre en contact avec des « esprits bas et maladifs ». Il est bon aussi qu'elle conserve un caractère privé, même s'il est du goût des princes de vouloir en faire un plaisir mondain et une manifestation publique (§ 6, p. 137). Le

7e alinéa (pp. 137-138) prêche pourtant la patience devant la sottise : c'est qu'elle ne vaut pas qu'on s'use à s'irriter contre elle ; plus loin Montaigne conseillera de lui refuser le combat, de ne pas l'accepter comme partenaire du jeu.

Pour ce qui est de lui, Montaigne « entre en conférence » avec une facilité qu'explique son acceptation de l'opinion adverse, qu'il regarde toujours comme possible et justifiable, sa tolérance de toutes les idées d'où qu'elles viennent, même lorsqu'il a affaire aux avis fantastiques nés de la superstition populaire. Cet ardent démystificateur s'interdit de tomber dans le « vice de l'opiniastreté » des « esprits forts » qui s'amusent à déconcerter leur entourage (§ 8, p. 138). L'opinion — la *doxa* — condamnée comme fausse science par Platon et la tradition qui en est issue, au nom d'une authentique Connaissance qui serait la montée au ciel des Idées — importe au contraire beaucoup à notre pragmatique essayiste qui croit à la condition corporelle de la raison, à l'étroite imbrication du sensible et de l'intelligible, et qui ne cesse de se soumettre lui-même au crible du sens commun.

Il recherche les occasions d'être contredit comme une des voies de son propre amendement. Il les rencontre particulièrement dans le climat librement querelleur des amitiés vraies. D'autres ne savent subir sans amertume les assauts d'une critique insupportable à leur amour-propre ; lui, qui éprouve « si grand plaisir d'estre jugé et cogneu », prête la main à des assaillants qui sont les outils de son édification, les porte-voix de son « advertissement ». Le commun des esprits, incapable d'un pareil détachement — qui ressemble fort à une ascèse — ne saurait concevoir le glorieux profit qu'une raison obtient à s'incliner devant la Raison. (§ 9 à 12, pp. 138-140)

L'élément qui décide de la victoire tient d'ailleurs moins à la force et à la véracité des arguments soutenus dans chaque camp, qu'à la forme du débat, à un « ordre » dont l'observation désigne enfin le vainqueur du jeu, le meilleur jouteur, l'optime lutteur. Ne gagne pas d'emblée le plus entendu en la matière, mais qui sait attendre, écouter, intervenir à point. Peu y excellent, que la sottise ou la fureur ne parviennent à dévoyer, dans une atmosphère de désordre dont pâtit la quête de vérité. L'exercice révèle maint ridicule, où beaucoup pensaient faire bonne figure. Le tour de la dispute trahit l'absence de qualité des disputants bien plus que ne fait leur manque de « fond ». (§ 13 à 16, pp. 140-141)

C'est pourquoi le savoir ne cautionne pas l'habileté. L'art de conférer ne s'apprend pas, et ne s'y montrent pas en meilleure posture que les « harengères » les savants appuyés de leur latin, acculés aux ressources de leur pédantisme. La « science » ne vient en aide que des âmes bien nées ; pour les roturières, c'est inutile surcharge. Symbole de puissance ou emblème de « folie », « en quelque main, c'est un sceptre ; en quelque autre, une marrotte ». (§ 17, 18, p. 141-142)

Le sujet de la dispute est indifférent. Ainsi apparaît-il à Montaigne que les dialogues socratiques, en Platon et en Xénophon, divisaient moins leurs participants sur « la matière » que sur la méthode. L'*objet* des disputeurs n'est, véritablement, que la « manière du dire ». La forme prime la substance. « La chasse » nous est plus chère que « la prise », comme le dira aussi Pascal, paraphrasant l'auteur des *Essais*. La légitimité d'une idée ne valide aucunement la démarche du champion qui la défend ; il ne suffit pas d'avoir raison pour parler juste : « Autant peut faire le sot, celuy qui dict vray, que celuy qui dict faux. » (§ 19, p. 142)

En conséquence, Montaigne apprécie dans un livre le style qui montre un homme (tant il est vrai que chaque auteur est toujours en quelque façon la pierre première de son œuvre). (§ 20, p. 143)

Le passage suivant pousse de nouveau l'idée que rien n'est pénible à endurer comme » l'impertinence », « l'opiniâtreté », « la bestise »... — comportements somme toute révélateurs d'un défaut d'ordre et de prudence, alors que l'ignorance ne relève jamais que d'un « défaut de matière ». La vie courante donne sujet de ressentir quotidiennement la difficulté de communiquer avec ses semblables. « (J')entre plustost en composition avec le vice de mes gens qu'avec leur témérité, importunité et leur sottise », s'écrie Montaigne, qui réitère le conseil de ne pas enrager inutilement contre celle-ci, « l'impatience (étant) également vitieuse en celui qui a droict comme en celuy qui a tort ». (§ 21, 22, p. 143)

La sottise exige d'être regardée avec philosophie. Un « esprit mal rengé » souffre d'une altération comparable à celle résultant d'une infirmité physique. Savons-nous si nous ne nous délestons pas sur autrui de tares dont nous voulons ignorer la pesanteur sur nousmêmes ? Qui serait assez présomptueux pour croire posséder la vérité ou pour s'imaginer un arbitre impartial de sa propre conduite ? Il convient, avant d'accuser, sinon de se sentir « net » (qui jugerait dans ce cas ?), au moins d'examiner sérieusement la figure que nous faisons dans le monde. (§ 23 à 25, pp. 143-145)

Les jugements ne sont jamais le calcul pondéré d'une raison abstraite. Montaigne fait reproche à la religion protestante d'oublier que dans notre condition « merveilleusement corporelle », les « cérémonies et apparences superficielles » assurent la « meilleure et la plus effectuelle part des polices ». Avec une verve dont Pascal se souvien-

dra dans le fragment des *Pensées* intitulé « Imagination », il démontre que nos sentiments et avis sont conditionnés, manipulés par les
signes extérieurs du pouvoir, par les symboles d'une autorité qui n'a
pas toujours de réel rapport avec la compétence : « La gravité, la
robbe et la fortune de celuy qui parle donne souvent crédit à des propos vains et ineptes. » Le personnage du pédant, ou celui d'un « chirurgien » plein de morgue — qui font songer aux médecins que
Molière exhibera plus tard dans ses comédies, et qui ont, au XVIᵉ siècle, leurs répondants sur des scènes italiennes — permettent d'évoquer, par contraste, un idéal d'homme opposé à la docte arrogance
des clercs (2), celui du « non-spécialiste » harmonieusement cultivé,
qui a fait siennes des idées d'emprunt, et « digéré » et « alambiqué »
ses expériences, ce qu'en bref, au XVIIᵉ siècle, il sera convenu
d'appeler un « honnête homme » (§ 26, p. 145-146). De telles lignes
font écho à l'idéal éducatif exprimé dans *L'Institution des enfants*
(Livre II, chap. 26).

C'est à réduire l'écart entre l'être et le paraître que s'emploiera le
type d'homme nouveau dont Montaigne est l'initiateur. Dans le § 27
(p. 146) est souligné le caractère tyrannique de ceux qui, ayant atteint
— dirions-nous aujourd'hui en référence aux principes d'analyse
sociologique de Peter — leur « niveau d'incompétence », ne se main-
tiennent en place que par l'illusion de grandeur imposée à nos sens
faciles à duper. Montaigne n'est jamais fatigué de dénoncer les faux-
semblants et l'escroquerie d'une érudition qui voudrait passer pour
sagesse. Le savoir et la philosophie sont corrompus par ceux qui s'en
décernent les titres sans en avoir assimilé les vertus.

Les hommes de gouvernement sur la haute capacité desquels il
semble naturel de pouvoir tabler, car « ils sont bien loing au dessoubs de nous s'ils ne sont bien loing au dessus », se réfugient com-
plaisamment dans une attitude de froideur et un mutisme qui ne sont
en réalité que les ruses de leurs insuffisances, trop vite étalées quand
ils se croient tenus de rompre le silence (§ 28, p. 147).

Les rois ne possèdent pas de critère sûr pour choisir leurs conseil-
lers : « les dignitez, les charges, se donnent nécessairement plus par
fortune que par mérite ». S'ils se trouvaient capables d'estimer les
hommes à leur valeur n'auraient-ils pas du même coup découvert le
secret d'une « parfaite forme de police » ? (§ 29, p. 147)

Du reste, l'appropriation d'un individu à la tâche qui lui est assi-
gnée n'est pas un bien solide garant de réussite. Le succès n'est pas la
suite certaine de l'intelligence ou des aptitudes. Car la « fortune »
(ou le sort) aime à se jouer de notre présomption et à faire « heureux
les malhabiles » qu'elle ne peut rendre « sages ». Aussi est-ce

« imprudence d'estimer que l'humaine prudence puisse remplir le rolle de la fortune ». (§ 30 à 32, pp. 147-149)

D'autant que la sagesse dont nous nous targuons relève également du hasard attaché à nos humeurs et à notre complexion (§ 33, 34, p. 149).

Et Montaigne de revenir sur le point de la « grandeur » qui est un bien faible témoignage du mérite : on s'en aperçoit notamment par la contre-épreuve de ceux qu'une disgrâce soudaine précipite à nu sous le regard de l'opinion. Ce vers de La Fontaine :

De loin c'est quelque chose et de près ce n'est rien

résumerait assez bien les termes du passage. Les grandeurs avancent masquées, et dans le jeu de société qui règle les rapports des hommes : « Ma raison n'est pas duite à se courber et fléchir, ce sont mes genoux. » « Aux grandeurs d'établissement », on ne doit que des « respects d'établissement », dira Pascal dans un sens analogue. Le fait est que la considération dont on peut jouir dans telle position sociale en arrive à faire oublier l'*ineptie* (l'incapacité) de l'individu qui l'occupe indûment. Les discours des grands peuvent être médiocres et vides, ils n'en sont pas moins empreints de noblesse et de gravité. La métamorphose qu'opère le prestige trouve chez « ceux de Mexico » sa plus parfaite réalisation : le roi aztèque, complètement saeralisé, à qui sont attribués des pouvoirs magiques, théurgiques, cosmogoniques, est supposé vivre au-dessus de la condition terrestre de ses sujets. Nous ne sommes point si éloignés de ces pratiques lorsque nous acclamons « la suffisance, (…) accompaignée de grandeur de fortune et de recommandation populaire ». Montaigne ne cesse de nous rappeler l'essence humaine, « trop humaine » de toute hiérarchie instituée. « Et au plus eslevé throne du monde, si ne sommes assis que sur nostre cul », écrira-t-il crûment dans son dernier chapitre. (§ 35 à 40, p. 149-150)

Suivant son propos à « sauts et à gambades » (III, 9) — « manière » dont nous avons à reparler — Montaigne reprend sa méditation sur la « conférence » en y projetant les idées précédemment développées sur la chance des « malhabiles », lesquels, au feu de la discussion, jettent parfois « un beau traict, une bonne responce et sentence (…) sans en cognoistre la force ». Ces coups heureux nous en feraient accroire sur leur disposition à débattre des problèmes en lice. Mais rapidement, des remarques trop générales ou peu pertinentes amènent à se dévoiler les esprits vains ou superficiels. A quoi servirait de les aider à mieux formuler leurs pensées et à condescendre aux nécessités du dialogue ? Ce serait gaspiller son talent et

perdre temps à lutter contre un indigne adversaire : nous voici reve-
nus à l'inépuisable « thème de la sottise » — laquelle « n'est pas
chose guérissable par un traict d'advertissement ». L'imbécile suscite
en Montaigne, nous l'avons vu, un mouvement d'impatience qu'il
recommandait naguère de maîtriser (voir pp. 143-144), en prenant
conscience du caractère relatif-subjectif de notre jugement sur les
êtres. Comme il ne se sent déjà guère d'humeur à « régenter » ou à
instruire, et par voie de conséquence peu enclin à s'entretenir avec les
« débutants », ce qui le « despite », ce qui le scandalise le plus dans
la sottise, c'est encore son air satisfait (« elle se plaist plus que
aucune raison ne se peut raisonnablement plaire ») et c'est aussi,
finalement, l'impossibilité de lui administrer une leçon, de faire rentrer un tant soit peu cette fierté aveugle dans les voies de l'indispensable modestie. « Est-il rien certain, résolu, desdeigneux, contemplatif,
grave, sérieux, comme l'asne ? » (§ 41 à 46, p. 151, 152, 153)

La spirale du texte repasse ensuite par l'évocation de l'atmosphère
amicale en laquelle s'épanouit le mieux l'entente riante des gens
d'esprit. Le sens de la plaisanterie dont Montaigne fait l'éloge autorise chacun à être soi — sans qu'il soit besoin de se forcer à paraître
constamment spirituel aux yeux des compagnons (« N'est pas mar-
chant qui toujours gaigne »). Agréments d'une conversation
enjouée, les « devis pointus et coupez », les « charges », la « gaillardise » sont utiles à notre gouverne car nous nous « entreadvertissons » de nos défauts. A moins d'être vulgaires et fâcheux, de manquer de sang-froid et de « gentillesse », nous nous affinons aussi à
supporter d'un bon visage les critiques piquantes enrobées dans le
miel de la « gaudisserie ». Comme « il faict laid se battre en s'esbatant », pente à laquelle succombent facilement dc brutaux gentils-
hommes (où vint rouler, par exemple, la destinée d'Henri II), il convient de maîtriser la joute verbale pour qu'elle ne dégénère pas en
duel tôt ensanglanté. (§ 47, 48, pp. 153, 154)

Si l'appréciation du tempérament d'un individu semblait donc
concevable, en observant la mesure de sa « convivialité » parmi ses
pairs, Montaigne, enquêteur du « moi » à travers soi-même et les
autres (qui s'assument et se résument réciproquement), cherche
cependant à produire quelque pièce moins réfutable d'après laquelle
il devienne réellement possible de « juger de quelqu'un ». Las, personne ne se croit assez bien représenté dans ses ouvrages (et il advient
aussi, a contrario, que l'œuvre donne à imaginer chez son auteur des
qualités qu'il n'a pas). Montaigne tout le premier déclare son incertitude : je « loge les *Essais* tantost bas, tantost haut, fort inconstamment et doubteusement ». Sur quoi se fonde leur valeur en effet ? Ils

ne font pas partie de ces « livres utiles (...) desquels » — paradoxale-
ment — « l'autheur ne tire aucune recommandation ». Ce n'est pas
un « recueil de bonnes manières », une monographie sur un sujet
d'actualité, non plus qu'un commentaire sur un « bon livre » tel que
les Anciens en ont fabriqué — et plus d'un accident de l'Histoire a
sauvé le premier et détruit le second, ne laissant subsister que les
reflets amoindris d'un chef-d'œuvre. Le genre « indéfinissable » du
livre qu'il compose interdit à Montaigne de spéculer sur rien d'autre
que sur sa « bonne fortune », sur l'heureux hasard qui lui apportera
des chances de postérité. Il reste humble face à l'éventualité d'une
gloire dont il n'a pas la prétention de revendiquer l'entière responsabilité — de même qu'il détruisait notre conviction de penser gouverner notre sagesse (voir § 32, p. 149).

Qu'est-ce qui appartient d'ailleurs en propre à un écrivain ? Les
beautés que l'on y admire peuvent avoir été empruntées chez un
autre, comme cette phrase de Philippe de Commynes recommandant
aux serviteurs de ne pas obliger leurs maîtres au-delà de leurs moyens
de les récompenser, que Montaigne retrouve en lisant Tacite. Le
dilettante des *Essais,* ennemi du pédantisme au point d'en paraître
coquet (« Nous autres, qui avons peu de practique avec les
livres »...) préconise une critique des sources qui permette, sinon
d'appréhender la vérité de l'« être » — qui ne se fixe nulle part (« je
ne peints pas l'estre, je peints le passage » (III, 2) — au moins de restituer à chacun son dû. (On ne confondra pas avec une protestation
touchant à la question de la propriété littéraire cette suggestion ten-
dant à propager à l'intention de lecteurs avertis des exigences proches
de celles en vigueur dans la recherche historique.) (§ 49 à 51, pp. 154-
155)

Le développement sur Tacite découle de ce voisinage d'idées. Le
génie de l'historien latin est perceptible dans la justesse du détail concret et de ses analyses psychologiques : « Je ne scache point
d'autheur qui mesle à un registre public tant de considération des
meurs et inclinations particulières. » L'œuvre est d'un politique et
d'un moraliste autant que d'un historien : susceptible, donc, d'éclairer les hommes qui fréquentent les avenues du pouvoir, et capable
d'éveiller des échos en toute époque troublée, à l'image de celle où a
vécu l'auteur. En contestant Tacite sur certains points (le portrait de
Pompée, la psychologie de Tibère), Montaigne exerce à son encontre
une sagacité digne d'un historien. Tacite est également reprochable
de n'avoir pas osé exploiter avec assez de détermination les ressources de ses dramatiques peintures et il a eu le tort de s'excuser en parlant de lui-même, « car le n'oser parler rondement de soy » est un

indice de pusillanimité aux yeux de celui qui proclame : « J'ose non seulement parler de moy, mais parler seulement de moy »... Croyant possible de le faire comme d'un tiers indifférent, Montaigne défend le droit d'expression d'une subjectivité « objective », qu'« un grand personnage, droicturier et courageux » comme Tacite n'aurait pas dû s'empêcher d'affirmer.

Cependant, si l'auteur des *Histoires* et des *Annales* « n'a pas besoing d'excuse d'avoir approuvé la religion de son temps » (d'aucuns accusent son manque de compassion à l'endroit des chrétiens persécutés sous Néron), Montaigne le loue de ne pas s'être élevé contre *« les bruits et opinions populaires »*, car « c'est (le) rolle (de l'histoire) de réciter les communes créances, non pas de les régler ». Comme celui qui « entre en conférence » (voir p. 138) et qui n'hésite pas à « prêter l'oreille » aux « songes d'une vieille », l'historien honnête — ainsi que l'« honnête homme », ou « l'homme suffisant » selon la formule montanienne — ne se gendarme pas contre la force de la coutume, qui pétrit, malgré qu'on en ait, notre imagination, notre sensibilité, la forme de notre entendement. Le « moi » qui veut se peindre au naturel dans les *Essais* se fait de même une obligation d'accueillir de ses productions même les plus hasardeuses : « Je me présente debout et couché, le devant et le derrière, à droite et à gauche, et en tous mes naturels plis. » Ainsi Montaigne parlant d'un autre parle de soi (quand ce n'est pas l'inverse) et méditant sur Tacite trouve moyen de l'estimer à l'aune de sa propre entreprise : où l'on voit que l'autoportrait et le tableau d'Histoire demanderaient de la part du « peintre » une comparable absence de préjugés et de contention. Puisqu'une rigueur attentive aux contraintes de l'« art » et ambitieuse d'aller vers le » vrai » en un sens absolu, ne parviendrait, de toute manière, à établir que des « jugements lâches et imparfaicts », autant vaut s'abandonner à la pente de son bon plaisir, récite incessamment le filigrane du texte. (§ 52 à 58, p. 155 à 158)

II. Ironie structurale

Comment décider si cette ironie que nous qualifions de « structurale », parce qu'elle nous semble appartenir à la structure du texte, ne devrait pas, avec plus de pertinence, être reconnue « structurante », c'est-à-dire génératrice des forces et contre-forces, des tensions et des relâchements qui confèrent à l'essai ses lignes d'architecture et ses rythmes ?

L'analyse ci-dessus, qui prétend « représenter » le texte dans sa continuité, se proposait de faire sentir les rapports qui existent à l'état latent entre ses différentes parties dont chacune, comme chacun des *Essais*, peut être lue en et pour elle-même.

Ironie dans le style

Quoique l'expression de Montaigne ne soit pas dépourvue, au détour de mainte phrase, d'un enjouement qui dissémine partout le charme que l'auteur juge caractéristique des amicales conversations familières, on n'y rencontre guère de formules typiquement frappées au coin de l'ironie, selon la définition stylistique du terme. Il arrive, certes, que l'auteur laisse entendre le contraire de ce qu'il dit (comme s'en feront une « spécialité » les grands hommes d'esprit du XVIIIᵉ, les Montesquieu, les Voltaire, les de Brosses...) ; c'est, par exemple, quand il affirme :

> ce que les honnestes hommes profitent au public en se faisant imiter, je le profiteray à l'avanture à me faire éviter,

quand il annonce :

> J'ayme et honore le sçavoir autant que ceux qui l'ont

quand il prétend :

> Nous autres, qui avons peu de practique avec les livres...

L'ironie est alors le prête-nom de la modestie de Montaigne. (Comme l'écrit Jankélévitch : « *On ne peut pas être intelligent et le dire : ni on ne fait profession d'être spirituel* ».) (3)

Dans des cas où le trait d'ironie tombe sur d'autres :

> Un bon escuyer ne redresse pas tant mon assiette, comme faict un procureur ou un Venitien à cheval

> Estant peu aprins par les bons exemples, je me sers des mauvais, desquels la leçon est ordinaire

mêlé à un sentiment de dédain

> C'est un plaisir fade et nuisible d'avoir affaire à gens qui nous admirent et facent place

évoquant un interlocuteur maladroit

> Qui, se trouvant foible de reins, craint tout, refuse tout, mesle dès l'entrée et confond le propos...

croquant un pédant féru d'érudition

> Qu'il oste son chapperon, sa robbe et son latin ; qu'il ne batte pas nos aureilles d'Aristote tout pur et tout cru, vous le prendrez pour l'un d'entre nous, ou pis

mettant en accusation la « science » officielle

> En mon pays, et de mon temps, la doctrine amande assez les bourses, rarement les ames

expliquant le moyen de faire carrière chez les incapables

> A combien de sottes ames, en mon temps, a servy une mine froide et taciturne de titre de prudence et de capacité ! etc.

la pointe n'est jamais « atroce » ou méchante, n'apparaît jamais comme *l'arme de l'envieux* suivant le reproche que le philosophe Alain adresse en général aux ironistes. Les phrases identifiables comme ironiques chez Montaigne, c'est-à-dire doublées en leur profondeur de quelque négation, de quelque secrète antiphrase, interviennent la plupart du temps pour mieux peindre une idée, pour lui donner la force d'une image. Comme un précipité chimique, l'ironie condense le sens de telle ou telle partie du message ; ainsi, de façon exemplaire, cette formule déjà citée, à propos des hommes « qui nous régissent et nous commandent : ils sont bien loing au dessoubs de nous, s'ils ne sont bien loing au dessus », dont l'interprétation au « degré zéro » (« Les hommes qui gouvernent doivent être beaucoup plus ''habiles'' que les gouvernés ») semble platement moralisante, tandis que l'ironie de Montaigne prévient et adjure ce genre d'hommes d'avoir à se montrer dignes de leurs fonctions, en sous-entendant que bien souvent ils ne le sont pas assez.

En bref l'ironie dans la phrase de Montaigne, soit qu'elle donne un air d'ignorance à l'auteur, selon la technique de la fausse naïveté socratique, soit qu'elle procède d'un usage métaphorique destiné à faire « voir » l'idée, dans un « dessin » plus parlant qu'une longue dissertation, est appropriée à ce que Nietzsche souhaitait qu'elle fût (sous peine de corrompre ses manipulateurs dans l'habitude vite prise du sarcasme) : l'ironie est une méthode pédagogique et « n'est à sa place que comme (telle) » précise Nietzsche dans ce paragraphe de *Humain, trop humain* auquel nous venons de faire allusion et il ajoute, ce qui éclaire notre propos : « Son but est l'humiliation, la confusion, mais de cette espèce salutaire qui éveille de bonnes résolutions et qui revient à rendre à qui nous a ainsi traités du respect, de la gratitude, comme à un médecin. » (4)

A ce niveau d'emploi, qui est celui des figures de style, l'ironie apparaît moins comme cette « hygiène de la tolérance », qui constitue, on s'en souvient, le postulat de notre recherche, que comme la « médecine » de l'intellect, l'instrument (encore une fois) socratique de notre éveil, un type de questionnement : ce qui est exactement remonter au sens du mot grec *eironeia*.

Ironie dans la pensée

On comprend donc qu'il n'en soit pas fait usage au-delà des besoins, et nous en faisions la remarque au début de ce développement : si nombreuses qu'elles soient — et leur nombre dépend aussi de notre lecture, de notre sensibilité à l'« écart » stylistique (5) — les tournures ironiques se laissent mal isoler et identifier dans le texte, à quelques exceptions près dont nous avons cité les plus remarquables.

Serait-ce qu'étant partout perceptible, l'ironie de Montaigne ne peut se localiser vraiment nulle part ?

Nous avons lieu de penser que l'ironie de l'essayiste se manifeste plus dans des figures de pensée que dans des figures de style, quoique ces dernières ne soient pas absentes du texte, comme nous venons d'en fournir des preuves. Les figures de pensée sont les rapports que celle-ci entretint avec elle-même dans ses différents moments ; elles ne sont pas sans analogie avec des concepts mathématiques ou des figures géométriques tels que symétrie/asymétrie, parallélisme/convergence, opposition/similitude. Telle reprise ou amplification d'un thème déjà apparu pourra faire songer, par exemple, à la relation d'homothétie des « triangles semblables ». Des spécialistes du discours ont recensé les figures de rhétorique et les « figures de pensée » sous des noms d'origine latine ou grecque que nous n'avons pas à utiliser dans ces pages. Si la définition classique de l'ironie, d'après Pierre Fontanier, « consiste à dire par une raillerie, ou plaisante, ou sérieuse, le contraire de ce qu'on pense, ou de ce qu'on veut faire penser » (5), on admettra sans peine que l'« ironie de pensée » puisse se reconnaître à la structuration volontiers paradoxale de celle-ci, à la coexistence du positif et du négatif dans une même affirmation et à la fréquente pratique du « renversement » d'une proposition à une autre. Une pensée ne saurait être dite « ironique », si elle ne paraît pas, essentiellement, « déconcertante ».

III. Structures ironiques

Exemple 1

Soit un premier motif placé en amont de celui que désigne le titre du chapitre, que nous croyons pouvoir dénommer « Education », qui s'accroche lui-même à une courte réflexion sur la justice. Observons rapidement son destin en forme de trajectoire de boule de billard :

1. nous avons beaucoup à apprendre en fuyant les mauvais exemples ;

2. la « conférence » est un exercice très formateur — solution qui offre une alternative à la première possibilité. Mais si jamais les interlocuteurs sont de piètre qualité, la valeur éducative du débat d'idées diminue jusqu'à se perdre : nous sommes en contradiction avec la première proposition énoncée (stimulation par l'inverse de ce que l'on cherchait).

3. à propos de la conférence, qui ne s'apprend pas, la science est déclarée inutile — opinion réitérée deux fois : concernant les hommes politiques, dont la seule « science » utile consiste à savoir « paraître » ; concernant les « malhabiles » qui n'ont pas besoin de talent et de connaissances pour réussir (dans les affaires, au gouvernement, en « conférence ») pourvu que la « fortune » les aide. Ainsi il n'y a pas d'éducation ou d'instruction à donner ni à recevoir (du moins selon le critère de l'utile). On voit que la positivité initiale du « discours sur l'éducation » s'évanouit en ricochant sur des objets qui en absorbent — progressivement la substance.

4. Pourtant Montaigne évoque un type d'« honnête homme » qui sait tirer profit de toutes les leçons, pour qui tout passe « par l'étamine » selon la célèbre formule du 1,26 ; à l'opposé, si la sottise est tellement insupportable, c'est qu'elle reste rebelle à toute forme d'éducation, qu'elle est inenseignable ; et la patience que Montaigne s'imposait de garder devant elle s'est progressivement effritée (il y revient trois fois, à chaque reprise plus longuement) à cause de cet inéluctable constat d'impossibilité. Dans un autre registre ou suivant un autre critère, d'ordre esthétique, l'idée que les âmes bien nées doivent être mises à l'épreuve de toutes les façons, y compris cn étant confrontées au « désordre » de la sottise, restitue une certaine force affirmative à l'idée du bienfait de l'« expérience ».

Le thème dont nous avons suivi les avatars, originellement « positif », a subi une déperdition de charge et une fragmentation, qui permet une réaction locale, de nouveau positive, dans le champ de négativité où sa vigueur s'éteint. (Si nous nous exprimions plus longtemps au travers de ces images qui semblent décrire un processus chimico-nucléaire, nous finirions peut-être par saisir les « relations d'incertitude » qui conditionnent la pensée de Montaigne, un peu comme celles que l'on suppose gouverner le devenir des particules dites élémentaires.)

Exemple 2

Parfois l'image d'une croissance végétale, ou d'une suite de métamorphoses, conviendrait mieux pour évoquer le processus d'enrichissement d'un concept. Ainsi la notion d'*ordre*, qui commence par désigner l'allure réglée de la conférence, va « générer » toute une série de propositions dans son voisinage immédiat, puis à distance :

1. L'ordre suivi, le protocole observé, a plus de valeur que les arguments opposés n'ont de poids ; ainsi la « forme » prime le « fond ».

2. La chasse est plus intéressante que la prise ; la quête d'un objet nous retient davantage que sa possession.

3. Dans un livre, « le style, c'est l'homme », plus que les idées pour lesquelles il travaille et se bat. C'est pourquoi :

4. « L'extérieur » compte autant et même plus que « l'intérieur », l'extériorité « informe » l'intériorité, comme si, dans la comédie sociale où nous sommes tous appelés à tenir un rôle, le personnage se substituait inévitablement à la personne, donnant le change sur les médiocres qualités de cette dernière. A l'inverse du pantin social, l'« honnête homme » est celui dont l'être et l'apparence sont de nature homogène, celui pour lequel la « forme » et le « fond » sont une seule et même réalité. L'honnête homme pourtant respecte l'« ordre », la hiérarchie, la grandeur et le pouvoir tels qu'ils se font appréhender dans les « cérémonies ». Il ne nourrit pas moins une « pensée de derrière » (Pascal) : il sait que les « cérémonies » et le masque de la puissance sont justement le secret de la puissance.

Ainsi l'« ordre » qui est la pierre de touche du bon joueur ou disputeur peut, en d'autres circonstances, n'être que le rempart du vide, la forme inhabitée du non-être. Et l'on surprend, à la faveur de ce deuxième exemple, la mise en œuvre de l'antiphrase sous le « phrasé » montanien. Quoi qu'affirme Montaigne, il faut bientôt qu'il le nie, et s'il a d'abord nié, soyons certains que bientôt il affirmera : témoin la « malhabileté », qui n'est pas inaptitude foncière à réussir ; ou encore la longanimité dont il se crédite devant les « bruits et sentences » de l'opinion commune, quand on le voit par ailleurs s'irriter de l'irrationnelle « sottise ». Le tableau synoptique ou l'étalement structural de son discours révèle tout un jeu d'oppositions et de renversements successifs qui nous laissent en peine d'arriver à découvrir le fond ultime de sa pensée, le dernier mot de ses positions contradictoires. Nous voici renvoyés à nous-mêmes. Effet de miroir. Nous décidons de ce qu'est Montaigne suivant ce que nous sommes. C'est en quoi réside sa très constante et pourtant secourable ironie.

IV. En guise de conclusion :
Ironie et tolérance

Quelques vers du philosophe chinois Lao-Tseu,

> *Tout le monde tient le beau pour le beau,*
> *c'est en cela que réside sa laideur.*
> *Tout le monde tient le bien pour le bien,*
> *c'est en cela que réside son mal.*
> ....
> *Le Maître éminent se garde de parler*
> *Et quand son œuvre est accomplie et sa tâche remplie*
> *le peuple dit : « Cela vient de moi-même. »*

(Extraits du *Tao tö king*)

malgré leur charge d'énigme, peuvent nous éclairer sur la composition de la sagesse de Montaigne : elle consisterait en premier lieu en
une « distance de conscience » — l'expression est de Jankélévitch (6)
— qui lui fait retourner tout objet pour en considérer l'envers et le
miner de paradoxes. (C'est peut-être cela, cet « art de conférer »
dont nous n'aurons pas appris grand-chose, car le moins qu'on
puisse oser affirmer c'est que le chapitre ainsi intitulé n'a rien d'un
manuel de conversation !) Il existe donc une tolérance « physique »
du discours de Montaigne, en lequel cohabitent le positif et le négatif, telle proposition et son retournement, l'orgueil et l'humilité de
l'auteur, la gravité et le sourire, un pessimisme constructif et une
gaieté parfois triste — en deux mots, sommes-nous tenté d'ajouter, le
Yin et le Yang, selon le langage taoïste de l'équilibre des contraires.
Et Montaigne se « garde de parler », plus exactement de s'exprimer
de façon univoque et clairement réductrice à une seule interprétation.
L'ironie de Montaigne fait songer aux sourires qui éclairent souvent
la face des statuettes chinoises : malicieux mais toujours bienveil-
lants.

Cette « tolérance physique » que nous évoquions à l'instant n'est
jamais que l'extension à la forme du texte, aux principes esthétiques
de l'écrivain (qui se pique de n'en point posséder), des effets de la
tolérance au sens moral du terme. (Il est d'ailleurs difficile de décider
quelle espèce de tolérance porte l'autre...) Qu'il suffise de rappeler
que Montaigne recommande d'admettre, en la conférence, toutes les
opinions, y compris les plus populaires, c'est-à-dire les moins pensées
au sens intellectuel du mot ; dans d'autres essais, et dans celui-ci de
façon plus discrète (réflexion sur la coutume mexicaine ; Tacite

absous de n'avoir pas sympathisé avec les chrétiens puisqu'il était normal qu'il partageât les préjugés de son siècle), Montaigne prouve abondamment qu'il est ouvert à la compréhension de l'Autre et à la considération de la diversité des mœurs. Pareille attitude ne se fonde pas sur un amour bercé d'illusions, sur la croyance en une fraternité supposée réalisée ou en voie de l'être ; l'amour du « genre humain » chez Montaigne n'est pas hypocrite — sa passion de connaître et de jouir du monde en témoigne — mais il demeure lucide, attentif à ne laisser gagner par aucun dogme, vigilant à conserver ses doutes comme les meilleurs garants de sa liberté. La tolérance de Montaigne est donc l'indice d'un scepticisme fondamental : « Tous jugements en gros sont lâches et imparfaicts. »

Par l'ironie, qui est un pur produit de son scepticisme puisque nous l'avons vu, le « tour ironique » se trouve dans le mode, dans les structures de la pensée plutôt que dans le style, où il est cependant en usage afin de capter notre attention et de rendre plaisante notre écoute, Montaigne évite probablement un des pièges que la tolérance militante risque de tendre à ses défenseurs humanistes. Nous en découvrons peut-être la formulation dans cette phrase terrible du poète René Char : « Sitôt que tu comprends ton ennemi, et t'assures sans ressentiment que ton ennemi t'entend, tu es perdu. » (7)

Dans ce cas oui, l'ironie peut être l'indispensable « hygiène » de « l'exercice de la tolérance ». C'est où nous aurions désiré en venir.

Mais Montaigne nous est apparu comme un auteur averti d'avance et il savait en outre qu'il ne serait pas entendu par les sots.

NOTES

1, 2. Deux expressions rencontrées dans l'étude de Hugo Friedrich, *Montaigne,* Gallimard, Bibliothèque des Idées.
3. Vladimir Jankélévitch, *Traité des vertus,* Bordas, p. 69.
4. Nietzsche, *Humain, trop humain,* Denoël-Gonthier, Médiations, p. 89.
5. Pour nombre de rhétoriciens, le « style » chez un écrivain est envisagé comme un écart par rapport à une norme, un « degré zéro de l'écriture ».
6. Jankélévitch, *op. cit.*
7. René Char, *Aromates chasseurs,* Gallimard, p. 22.

NOËL TACONET

La conscience et l'ironie
dans « L'art de conférer »

Résumé

Dans la « conférence » Montaigne apprécie surtout la possibilité d'échange, c'est-à-dire le va-et-vient des consciences auquel l'auteur des Essais ajoute le regard de soi à soi. A ce point la conscience devient ironie. Mais cet examen permet aussi la prise de conscience des limites de l'homme.

Toutefois l'exercice impose les règles mêmes de la conscience morale, et ces règles imposent de combattre le désordre qui résulte de leur inobservation. La conscience ironique dénoncera ainsi allègrement la vacuité dissimulée sous le prétendu savoir.

Noël Taconet, agrégé de lettres classiques, enseigne au Lycée Champollion de Grenoble, notamment en classe préparatoire. Il est l'auteur de nombreuses études critiques, parmi lesquelles les collections DIA ont publié celles qu'il a consacrées au *Jules César* de Shakespeare, à *Une vie* de Maupassant et aux *Amis inconnus* de Supervielle.

Comment ne pas être frappé de plein fouet par l'avertissement que Montaigne semble par avance adresser à quiconque veut faire porter ses réflexions sur son œuvre : « Il y a plus affaire à interpréter les interprétations qu'à interpréter les choses, et plus de livres sur les livres que sur autre subject : nous ne faisons que nous entregloser. » On dirait que l'auteur des *Essais* cherche à éveiller notre conscience en soulignant la vanité de la tâche entreprise par cette observation qui n'est pas dénuée d'ironie. Ainsi les deux notions paraissent-elles ensemble nous interroger, secouer notre tranquillité. S'il est vrai que la conversation telle que la définit Montaigne est indispensable à l'homme, nous nous devons d'accepter la franchise, voire le caractère hostile des corrections qui nous sont faites à cette occasion ; c'est à ce prix que notre connaissance, que notre conscience s'enrichiront. C'est dire l'importance du chapitre intitulé *De l'art de conférer*. Mais cet essai peut être également considéré comme un miroir de l'œuvre, puisque la forme même du livre évoque la conversation familière et la dispute, comme le souligne à juste titre K.C. Cameron : « Les *Essais* ressemblent à un recueil de conversations et c'est au cours de ce long entretien que nous rencontrons le Montaigne causeur, tantôt moraliste et tantôt homme de théâtre, mais toujours fidèle à sa bonne humeur, à son parler plaisant et familier, en somme à son humour. » On sait par ailleurs que la conscience de l'individu Montaigne et la conscience de l'homme sont étroitement liées comme l'indique avec clarté la formule justement connue : « Chaque homme porte la forme entière de l'humaine condition. »

Cependant Montaigne a manifesté, dès les premiers essais, le prix qu'il attachait à la formation de l'âme. Sa conception même de l'éducation, telle qu'il l'expose dans le chapitre « Du pédantisme » comme dans celui « De l'institution des enfans » (Livre I, ch. 25 et 26), ne vise pas seulement à former le jugement, mais à élever l'âme, but auquel il donne sans hésiter la préférence : « Si (le savoir) ne change (l'âme), et meliore son estat imparfaict, certainement il vaut beaucoup mieux le laisser là. » Ce souci de la conscience morale est également présent dans L'*art de conférer* et son absence entraîne dans la conversation une confusion que rend sensible l'ironie de l'auteur. Au-delà il faudra peut-être nous interroger sur le rôle que joue la conférence sur la conscience que Montaigne prend de son œuvre, de lui-même et des autres, sur les raisons qui font qu'il privilégie cet exercice.

N'est-ce pas en définitive pour répondre vis-à-vis de ses partenaires comme vis-à-vis de ses lecteurs à la vocation qu'il avoue dans « L'expérience » (III, 13) ? On lui a souvent demandé à quoi il se jugeait bon, nous avoue-t-il, et, après s'être dérobé à la question par un : « A rien », le guide nous répond : « Mais j'eusse dist ses verités à mon maistre, et eusse contrerrolé ses meurs s'il eust voulu. » Or quel dessein semble s'être proposé le maître de conversation sinon d'être le maître de son maître ou plus exactement sa conscience ? La composition de l'œuvre est-elle finalement séparable de cette préoccupation, et les lecteurs ne représentent-ils pas autant de maîtres pour l'auteur ? Quant à la liaison de ce rôle avec l'ironie elle-même, la citation que fait Littré d'un passage de la lettre de Voltaire à d'Argental datée du 18 mai 1772 constitue sans doute un début de réponse : « Les injures révoltent, l'ironie fait rentrer les gens en eux-mêmes, la gaieté désarme. »

Ainsi nous chercherons dans un premier temps comment la conscience de soi et la conscience de la condition humaine conduisent naturellement à l'ironie, puis nous étudierons les rapports qu'on peut établir entre le souci de conscience morale et l'ironie, enfin nous nous demanderons dans quelle mesure l'essai sur la conférence commande une œuvre sous-tendue par la conscience ironique.

I. La conscience de l'homme et l'ironie

A. MONTAIGNE ET LA CONSCIENCE DE SOI

Au chapitre des « Trois commerces » (III, 3), Montaigne dit son goût du contact direct avec autrui :

Il y a des naturels particuliers, retirez et internes. Ma forme essentielle est propre à la communication et à la production, je suis tout au dehors et en evidence, nay à la société et à l'amitié. (p. 38)

et il semble souligner le fruit de ce commerce à condition qu'il soit le fait d'une haute conscience :

Une ame bien née et exercée à la praticque des hommes se rend pleinement aggreable d'elle mesme. (p. 40)

Dans notre essai, cet amoureux de la communication, d'une communication réalisée avec des êtres choisis, il faut le préciser, se déclare propre à la conférence, « exercice naturel auquel ma gayeté naturelle me rend assez propre ». Cette bonne humeur, cette joie que notre auteur manifeste ici ne sont nullement exceptionnelles ; mieux, elles sont étroitement associées aux leçons qui sont données à la conscience de l'homme au cours de la conférence, à la découverte même de l'infériorité de Montaigne par rapport à ses partenaires :

Je festoye et caresse la verité en quelque main que je la trouve, et m'y rends alaigrement et luy tends mes armes vaincues, de loing que je la vois approcher (*L'Art de conférer*, p. 139)

Il y a plus, c'est cette apparente défaite qui semble être cause de sa joie :

... je ne vay pas m'amusant à suivre cette pointe, d'une contestation ennuyeuse et lasche, tirant à l'opiniastreté : je la laisse passer et, baissant joyeusement les oreilles, remets d'en avoir ma raison à quelque heure meilleure. (p. 153)

Il va de soi toutefois que cette défaite n'est que passagère. Toujours est-il que ce mouvement de gaieté est attaché à un sens très vif de la conscience de soi, comme aussi à un retour sur soi au cours duquel on constate avec amusement qu'on n'est pas soi-même exempt de faiblesse. Or ce retour, qu'est-ce autre chose que l'ironie ? Pour s'en assurer, il n'est que de reprendre les réflexions de Jankélévitch : « Cela veut dire... que l'humour n'est pas sans l'amour, ni l'ironie sans la joie, et ensuite que l'ironie ne se refusera pas à la ferveur. » Affaire de tempérament peut-être, mais conduite de philosophe sûrement : « ... l'ironie et la plaisanterie font partie de son attitude philosophique même : elles expriment sa tendance à se détacher de son moi, à la regarder comme « chose tierce » (*4*, p. 200)*.

Le problème de l'auteur qui s'est choisi lui-même pour objet, Montaigne l'aperçoit avec une totale lucidité et, dans la fierté même que lui inspire son « dessein farouche et extravagant », dans la conscience de son originalité : « Les auteurs se communiquent au peuple par quelque marque particulière et étrangère ; moi le premier par mon être universel comme Michel de Montaigne... », mais il atteint d'emblée l'objectivité :

Je ne m'ayme pas si indiscretement et ne suis si attaché et meslé à moy que je ne me puisse distinguer et considerer à quartier, comme un voisin, comme un arbre. (p. 157)

Ainsi l'individu auteur se dissocie de l'individu objet de son livre, s'éloigne suffisamment de lui pour le contempler, le suit comme sa

---

* Les chiffres en italique renvoient aux ouvrages énumérés dans la note bibliographique, à la fin de cette étude.

conscience et dans une conscience de lui qui se veut totale, inaltérable, obéissant au principe qu'il pose en termes moraux :

C'est pareillement faillir de ne veoir pas jusques où on vaut, ou d'en dire plus qu'on n'en void. (*Ibid.*)

Naturellement ce contact de soi à soi, pour profitable qu'il soit, ne saurait suffire à obtenir la rigueur du jugement. Certes le spécialiste de soi écrit bien :

Mon imagination se contredit elle mesme si souvent et condamne, que ce m'est tout un qu'un autre le fasse...

mais il reconnaît par avance la valeur pédagogique de la discussion :

Quand on me contrarie, on esveille mon attention, non pas ma cholere ; je m'avance vers celuy qui me contredit, qui m'instruit. (p. 139)

D'ailleurs cette passion pour la conférence trouve surtout son origine dans le désir de gloire de l'écrivain, non d'une vaine gloire qui s'alimenterait à la connaissance de ses qualités littéraires ou de sa vertu par un vaste public, mais d'une gloire qui viendrait d'être déchiffrée dans sa vérité, d'être reconnu pour ce qu'il est :

Je prens si grand plaisir d'estre jugé et cogneu, qu'il m'est indifferent en quelle des deux formes je le soys. (*Ibid.*)

L'hypothèse émise par F. Jeanson ne manque pas de séduire, selon laquelle l'ami de La Boétie qui disposait d'un miroir où exposer son être, où le montrer, ayant perdu avec sa mort ce lien de confidence et de vérité, chercha à compenser ce manque par le sujet même de son œuvre. En tous les cas le souci même de la conscience est au cœur de l'ouvrage : « Il est trop lucide pour ne pas voir les risques impliqués par son entreprise... Il sait... qu'une conscience ne peut prétendre se récupérer, se sauver en se faisant passer pour autre qu'elle n'est : c'est telle quelle, et tout entière qu'il lui faut tenter l'aventure. De là (...) le constant souci de ne point se donner, si peu que ce soit, pour meilleur qu'il n'est. » (2, p. 59) C'est sous ce regard qu'il faut examiner le sens que le moraliste prétend donner aux *Essais* : il s'agit de considérer la vie de l'auteur comme le contre-exemple de la règle à suivre. Il existe du reste une sorte de symétrie entre le sujet et l'objet : l'exposition de l'individu Montaigne doit servir de leçon à rebours :

Publiant et accusant mes imperfections, quelqu'un apprendra de les craindre. (p. 136)

Quant au sujet, il agit de même :

Estant peu aprins par les bons exemples, je me sers des mauvais, desquels la leçon est ordinaire. (p. 137)

Mais on sent que l'auteur conscient de ses manques sait aussi que
ses erreurs sont « la chose la mieux partagée ». Il s'excuse, semble-
t-il, en s'accusant. Davantage, son langage peut devenir équivoque et
devenir ironique. Ne dit-il pas : « Les parties que j'estime le plus en
moy tirent plus d'honneur de m'accuser que de me recommander » ?
Est-ce signifier que l'auteur apprécie le plus en lui-même ses défauts
parce qu'ils sont le plus susceptibles de produire en son lecteur
l'amendement souhaité ? Ou bien Montaigne affirme-t-il que ce
qu'on accuse en lui lui paraît au contraire digne d'estime ? Lisons
avec attention cette addition de l'exemplaire de Bordeaux :

/// Je me suis efforcé de me rendre autant aggreable comme j'en voyoy de
fascheux, aussi ferme que j'en voyoy de mols, aussi doux que j'en voyoy
d'aspres. Mais je me proposoy des mesures invincibles. (p. 137)

Mais là encore, comment convient-il de comprendre ? Est-ce que le
projet dépasse simplement les possibilités de celui qui l'a formé ?
Est-ce que sa visée est au-delà de sa portée ? Ou bien n'est-ce pas plutôt que le degré d'incivilité, de faiblesse et de dureté dont Montaigne
voit tous les jours des exemples rend impossible l'exécution de sa
tâche. Peut-être cette ambiguïté est-elle encore plus sensible en ce qui
concerne l'attitude de l'homme conscient vis-à-vis de ce qui est le
signe même de l'inconscient, je veux parler de la bêtise.

Nous reviendrons plus loin sur le caractère et le sens de la condamnation portée sur la sottise. Rien ne suscite davantage la colère de
notre humaniste. Pourtant il semble s'en vouloir parce qu'au
moment même de frapper il tente un retour sur soi. Et de citer Platon :

« Ce que je treuve mal sain, n'est-ce pas pour estre moy mesme mal sain ? »
(...) Mon advertissement se peut-il pas renverser contre moy ? (p. 144)

et l'examen de conscience le pousse à répondre par l'affirmative :

Combien de sottises dis-je et respons-je tous les jours, selon moy ; et volontiers donq combien plus frequentes, selon autruy ! (p. 143)

Pourtant, et par le même mouvement signalé plus haut, Montaigne se
situe comme un homme au milieu des hommes, tous faillibles de leur
condition :

Sage et divin refrein, qui fouete la plus universelle et commune erreur des
hommes. (p. 144)

et n'en poursuit pas moins allégrement sa charge contre la sottise
jusqu'à affirmer : « Il est impossible de traitter de bonne foy avec un
sot. » (p. 140)

Qu'est-ce à dire ? L'examen de conscience du juge des sots ne représenterait-il qu'un exercice formel ? Aurions-nous été la dupe de ce qu'on appelle la fausse modestie ? Ce retour ironique sur soi, me semble-t-il, est au contraire essentiel pour l'auteur dans la mesure où le jugement porté sur autrui ne saurait « nous épargner d'une interne jurisdiction ». Il lui donne cette plasticité, ce détachement qui, selon Jankélévitch, font le propre de la conscience, laquelle est à son tour le signe de l'ironie : « L'ironie est la souplesse, c'est-à-dire l'extrême conscience. » C'est justement ce regard sur soi que l'auteur de soi entend conserver, qui le maintient au milieu des autres au lieu de le cantonner dans un « domaine seigneurial » (5) malgré le morceau de roi, si j'ose dire, qu'il s'est choisi :

> Moy qui suis Roy de la matiere que je traicte, et qui n'en dois conte à per-
> sonne, ne m'en crois pourtant pas du tout. (p. 158)

Equilibre donc entre moi et les autres ou plutôt perpétuelle formation de la conscience de moi par la conscience des autres, perpétuelle recti-fication du jugement porté sur les autres par le jugement porté sur moi. On se tromperait fort en prenant pour marques de repentir ces allers et retours d'autrui à moi, de moi à autrui :

> Vu d'un certain biais, écrit Baraz, le repentir est témoignage d'inconstance et
> d'irrésolution : « Le repentir n'est qu'une desdite de nostre volonté et oppo-
> sition de nos fantasies, qui nous pourmene à tous sens. » L'homme conscient
> de la nécessité universelle se repent rarement : il sait que nos limites et imper-
> fections sont comprises dans le « grand cours de l'univers ». (4, p. 28)

Et, du coup, nous voici confrontés avec un nouvel aspect de la cons-cience, celui de l'homme.

B. LA CONSCIENCE DE L'HOMME

Or si l'on examine l'homme non plus par rapport à soi-même, mais dans ce qu'il est et dans ce qu'il représente par rapport à l'univers, le sentiment qui doit saisir l'observateur, c'est celui de son insignifiance et de sa petitesse. Qu'on se rappelle à cet égard « L'Apologie de Ray-mond Sebond ». Pour commencer, en effet, Montaigne veut détruire nos illusions. Ce qui, à l'en croire, vicie la conférence, corrompt les joutes oratoires, c'est une erreur fondamentale commise sur le but de l'exercice, erreur qui d'ailleurs empoisonne notre existence : celle qui consiste à vouloir atteindre la vérité. Cette dérisoire prétention anni-hile en effet le caractère bénéfique de l'exercice. A partir du moment où tel ou tel est persuadé avoir obtenu le résultat recherché (et il est inévitable, dans ce cas, que la chose se produise), il ne consent plus d'efforts et il est naturellement tenté d'imposer ce qui n'est en réalité que son point de vue. On comprendra donc la portée capitale de la déclaration :

... nous sommes nais à quester la verité ; il appartient de la posseder à une plus grande puissance. (p. 142)

Et de citer Démocrite pour souligner que la vérité étant de qualité infinie ne saurait être appréhendée par les êtres finis que nous sommes. La conséquence est claire et c'est une addition de l'exemplaire de Bordeaux qui le formule en toute clarté : « /// Le monde n'est qu'une escole d'inquisition. » Entendez : puisque notre existence au monde n'a de sens que dans une perpétuelle recherche, puisque nous ne sommes là que pour toujours apprendre, cela signifie que nous ne saurons jamais et que ceux qui se définissent comme les savants ne font preuve en définitive que de sottise, comme le rappelle ce mot terrible : « Pour estre plus sçavants ils n'en sont pas moins ineptes. » (p. 142)

D'ailleurs comment définir l'homme sinon par rapport à son corps :

C'est tousjours à l'homme que nous avons affaire, duquel la condition est merveilleusement corporelle. (p. 145)

Qu'est-ce à dire sinon que nous sommes incapables d'appréhender quoi que ce soit que nous ne soyons passés par les sens :

Les sens sont nos propres et premiers juges, qui n'apperçoivent les choses que par les accidents externes. (*Ibid.*)

On voit à quel point notre conscience courte risque à chaque instant d'être ensevelie sous l'apparence, étouffée sous le spectacle. Ainsi en est-il lorsqu'il s'agit d'estimer les arguments d'un spécialiste de l'argumentation, d'un docteur, c'est-à-dire d'un homme réputé maître de la joute oratoire :

Qu'il oste son chapperon, sa robbe et son latin ; qu'il ne batte pas nos aureilles d'Aristote tout pur et tout cru, vous le prendrez pour l'un d'entre nous ou pis. (p. 141)

Cet attirail de comédie, ce masque qui recouvre la personne doivent être arrachés ; la lutte alors sera plus égale, la contestation pourra commencer. On appréciera d'ailleurs la conversion ironique par laquelle ces soi-disant savants retournent au lot commun et l'étonnement feint avec lequel celui qui l'exécute considère le résultat de l'opération.

Ces parures cependant sont bien minces en considération de « ces magnifiques atours, ce grand estat » (p. 147) attachés à la fonction même du roi. Et pourtant l'ironie de celui qu'on peut par ailleurs considérer comme un porte-parole de la pensée conservatrice n'hésite pas à s'en prendre à la confusion ainsi créée. Ne va-t-il pas jusqu'à comparer toutes ces pompes à celles du théâtre par l'illusion à laquelle elles nous livrent toutes deux :

> Voyre et le masque des grandeurs, qu'on represente aux comedies, nous touche aucunement et nous pipe. Ce que j'adore moy-mesmes aus Roys, c'est la foule de leurs adorateurs. (p. 149)

Et le fidèle adepte de la monarchie refuse d'associer au témoignage tout physique de son respect pour le roi la démission de son esprit : « Ma raison n'est pas duite à se courber et flechir, ce sont mes genoux. » (p. 150) — tout comme le fera plus tard Pascal dans ses « Trois Discours sur la condition des Grands ».

Il n'empêche, Montaigne est si persuadé de notre infirmité sous ce rapport que ce lui est un argument de poids contre la religion réformée qui prétend s'adresser à l'esprit seul et pense pouvoir se passer de l'intermédiaire du corps pour pousser l'homme à l'adoration de Dieu. C'est ainsi en tous les cas qu'il explique les difficultés de cette conception à s'établir en tant que telle dans son pays :

> Que ceux qui nous ont voulu bastir, ces années passées, un exercice de religion si contemplatif et immateriel, ne s'estonnent point s'il s'en trouve qui pensent qu'elle fut eschapée et fondue entre leurs doigts, si elle ne tenoit parmy nous comme marque, tiltre et instrument de division et de part, plus que par soi-mesmes. (p. 145)

Ici encore la conscience claire fait, avec une ironie décapante, le partage entre le but déclaré, celui de restituer à la religion toute sa pureté, et le résultat atteint, celui de ne devoir son existence qu'à sa valeur de séparation, à sa capacité d'entretenir les rivalités et les désaccords.

Du reste la force de l'apparence est si grande sur nos sens que la fonction est immédiatement censée créer la compétence, que la hauteur s'est prise pour habileté, que les signes d'approbation et d'admiration ne sont considérés que comme autant de preuves de la valeur :

> ... il n'est pas à presumer qu'un monsieur si suivy, si redouté n'aye au-dedans quelque suffisance autre que populaire, et qu'un homme à qui on donne tant de commissions et de charges, si desdaigneux et si morguant, ne soit plus habile que cet autre qui le salue de si loin et que personne n'employe. (p. 145)

La simple juxtaposition ironique de l'apparence et de la réalité va rétablir la situation :

A combien de sottes ames, en mon temps, a servy une mine froide et taciturne de tiltre de prudence et de capacité. (p. 147)

L'observation rejoint singulièrement l'analyse de Jankélévitch : « Il faut se réveiller non seulement du monde, mais de soi. La conscience n'est pas tout à fait consciente, tant qu'elle est dupe d'elle-même, tant que sa ridicule gravité la désigne à l'ironie étrangère ; car la gravité rend vulnérable, qui est symptôme d'inconscience. »

Mais il y a plus amusant, c'est que ce titre, cette gravité imposent à leur tour à celui qui les possède ou en fait montre des obligations conformes à l'impression qui en est la conséquence. Puisqu'en effet ces hauts personnages possèdent des titres ou sont pourvus d'un apparat, il en résulte, nous l'avons vu, que la conscience collective est dupée, qu'elle prend pour la réalité ce qui n'est que le masque. Du même coup elle estime naturel que ces dignitaires manifestent des dons exceptionnels, qu'ils n'aient aucun rapport avec un individu ordinaire ! « ... ils sont bien loing au dessoubs de nous, s'ils ne sont bien loing au dessus. » (p. 147) Or, nous le savons, l'auteur des *Essais* suit une « tendance » qui se manifeste dès le début du XVe siècle, laquelle se caractérise par « la confiance dans l'expérience personnelle de la vie et la méfiance à l'endroit du savoir purement livresque — la conviction que les autorités antiques ne sont aussi que des hommes faillibles... » (*I*, p. 96), bref la certitude que l'ambition universelle de Pic de la Mirandole — manifestée par le titre fameux de son ouvrage : *De omni re scibili* — est contredite par la condition même de l'homme. Si donc on exige d'un grand personnage un savoir qu'il n'a pas, il ne lui reste d'autre ressource que le silence, faute de quoi il se rend lui-même pleinement ridicule, témoin — comme Montaigne nous le rappelle p. 147 — la malheureuse idée qui s'empara de Megabysus de vouloir prendre la parole sur les portraits du peintre grec Apelle et qui s'attire de lui cette réplique superbe d'ironie : « Tandis que tu as gardé silence, tu semblois quelque grande chose à cause de tes cheines et de ta pompe ; mais maintenant qu'on t'a ouy parler, il n'est pas jusques aux garsons de ma boutique qui ne te mesprisent. » Or ce Megabysus était sans doute roi des Perses, c'est-à-dire roi d'un pays dans lequel le parure a compté plus qu'ailleurs, mais qu'on ne s'y trompe pas, au-delà de l'individu c'est bien à la personne royale que pense Montaigne.

D'emblée l'homme qui a été gentilhomme ordinaire de la chambre du roi exclut que ce titre puisse correspondre à la valeur du personnage. C'est une règle de la société humaine que de si importantes fonctions soient désignées par l'effet du hasard et non selon la compétence :

Les dignitez, les charges, se donnent necessairement plus par fortune que par merite ; et a l'on tort souvent de s'en prendre aux Roys. (p. 147)

Là encore notre attitude critique résulte d'une illusion fondamentale et nous sommes pris au leurre de l'apparence. Voyons-nous que tel événement heureux survient sous tel règne, nous en attribuons immédiatement le mérite au monarque ; à l'inverse, si les choses tournent mal, nous l'en rendons responsable. En réalité le cours du monde se déroule quasiment sans notre intervention, laquelle, au demeurant, se déroule en dehors de tout élément rationnel, au gré de l'usage : « Nostre entremise n'est quasi qu'une routine », et « l'issuë authorise une très inepte conduite. » (p. 148) Notre jugement est erroné parce qu'une fois encore il nous manque la conscience de nos limites, c'est-à-dire en définitive la conscience de la place si mince que nous tenons au sein même du monde. Le mouvement de l'univers se fait sans nous et c'est prétention ridicule que de vouloir influer sur lui :

C'est imprudence d'estimer que l'humaine prudence puisse remplir le rolle de la fortune. Et vaine est l'entreprise de celuy qui presume d'embrasser et causes et consequences, et mener par la main le progrez de son faict... (p. 148)

La leçon qu'en tire Montaigne peut sembler paradoxale. Elle s'appuie d'abord sur la réalité des faits. Puisque le hasard mène l'histoire, puisque notre prétendue sagesse est elle-même soumise au hasard, c'est que cette « sagesse » ne devient telle que par l'entremise même du hasard et qu'en réalité ceux qui paraissent réussir le mieux sont aussi ceux qui sont les plus démunis sous le rapport de la sagesse, c'est que la fortune « prent plaisir à rabatre nostre presomption, n'aiant peu faire les malhabiles sages, elle les fait heureux, à l'envy de la vertu » (ibid.). Car il suffit d'observer pour se rendre compte que ce sont justement les moins doués qui se trouvent chargés de conduire les affaires :

Qu'on regarde qui sont les plus puissans aus villes, et qui font mieux leurs besognes : on trouvera ordinairement que ce sont les moins habiles. (p. 149)

Et l'observation s'appuie plus tard, dans un ajout, sur l'autorité du grand historien athénien : « /// Et y rencontrent, dict Thucydides, plus ordinairement les grossiers que les subtils. » (Ibid.)

Voici plaisamment dégonflées les baudruches du pouvoir, mais, ne nous y méprenons pas, nous sommes touchés nous aussi. Car, si toute tentative de déjouer le cours des événements est illusoire, il ne reste plus, dit le critique si impitoyable de l'incompétence des puissants, qu'à les laisser agir comme ils l'entendent :

Pour conserver l'authorité du Conseil des Roys, il n'est pas besoing que les personnes profanes y participent et y voyent plus avant que de la première barriere. Il se doibt reverer à credit et en bloc, qui en veut nourrir la reputation. (p. 148)

Le système que nous avions construit s'effrite de toute part, la contradiction est flagrante, il ne nous reste plus rien. C'est là proprement l'effet de l'ironie. Comme le souligne Jankélévitch : « Les hommes perdent à son contact la sérénité trompeuse des fausses évidences, car on ne peut plus avoir écouté Socrate et continuer à dormir sur l'oreiller des vieilles certitudes ; c'en est fini désormais de l'inconscience, du repos et du bonheur. » (*5*, p. 12) On voit apparaître la similitude entre Socrate et celui qui l'a tant admiré, plus sans doute, il est vrai, pour la réussite d'une vie simple que pour son rôle de philosophe. Mais n'est-ce pas finalement la volonté de simplicité et de clarification de la conscience qui réunit par-dessus tant de siècles, ces deux êtres, ce souhait de faire en sorte que les hommes prennent enfin conscience de leurs limites, qu'ils sachent qu'ils ne savent point.

On peut donc, *mutatis mutandis,* appliquer à notre auteur ces mots dits sur Socrate à propos de la réaction qu'il représente contre « l'esthétique de la régularité et de la symétrie ». Pour Baraz,

la véhémence de cette réaction s'explique si l'on songe que les formes achevées, sereines, olympiennes étaient cultivées par ceux qui prétendaient posséder et enseigner la *sophia* et qu'elles traduiraient leur contentement imperturbable ; à cette possession illusoire, Socrate opposait le continuel inachèvement de sa philo-sophia. (*4*, p. 183)

Qu'on n'aille pas s'imaginer non plus que la passion de la conscience intellectuelle corresponde à un simple goût de choquer. S'il est vrai que « là où l'ironie est passée, il y a plus de vérité et de lumière » (*5*, p. 62), c'est aussi qu'elle reflète la lumière d'une conscience morale et cet appétit de conscience morale, l'auteur des *Essais* de l'édition de Bordeaux ne cesse de le crier :

Ces tesmoignages de la conscience plaisent ; et nous est grand benefice que cette esjouissance naturelle, et le seul payement qui jamais ne nous manque. (p. 22, in « Du repentir »)

Tribunal de la conscience qui doit être la règle suprême : « J'ay mes loix et ma court pour juger de moy, et m'y adresse plus qu'ailleurs. » (p. 23) Et si Montaigne s'intéresse si vivement à la « conférence », ce n'est pas seulement qu'elle corresponde à cette « entre-gent » ou « société aristocratique que son époque et sa condition lui assignaient, et à la culture de laquelle il a lui-même contribué par ses *Essais* » (*1*, p. 260). C'est aussi parce qu'elle lui semble le lieu par excellence où s'exerce la conscience morale.

II. La conscience morale et l'ironie

A. LA CONSCIENCE
ET L'ORGANISATION DE LA CONFÉRENCE

« Esjouissance naturelle » que les « temoignages de la conscience », était-il dit tout à l'heure. Ces deux termes pourraient aussi bien caractériser le sens de l'exercice tel que l'entend une « ame bien née ». Certes il s'agit d'obtenir la victoire, mais une saine conversation, une joute oratoire bien faite ne sauraient admettre que chacun soit seulement soucieux d'imposer son point de vue en profitant de la faiblesse de l'adversaire. Victoire certes, mais d'abord victoire sur soi, victoire de la conscience :

> Je me sens bien plus fier de la victoire que je gaigne sur moy quand, en l'ardeur mesme du combat, je me faicts plier soubs la force de la raison de mon adversaire, que je ne me sens gré de la victoire que je gaigne sur luy par sa faiblesse. (p. 140)

Or ce but ne peut être atteint que si l'on accepte de se soumettre à une exigence indispensable, celle de « l'ordre ».

Ordre — le mot retentit trois fois en une page : il répond avant tout à la nécessité de suivre le thème choisi. Sans doute serait-il préférable que chacun ne prenne la parole qu'à son tour, que les arguments soient échangés à leur heure, mais ce qui est plus que tout insupportable, c'est de s'égarer hors du propos, de telle sorte que la conférence n'ait plus d'objet. Or cet ordre est respecté naturellement par les êtres les plus humbles :

> L'ordre qui se voit tous les jours aux altercations des bergers et des enfans de boutique, jamais entre nous. S'ils se detraquent, c'est en incivilité ; si faisons nous bien. Mais leur tumulte et impatiance ne les devoye pas de leur theme : leur propos suit son cours. (p. 140)

En somme si nous ressemblons au peuple, c'est uniquement par son aspect négatif, ayant perdu les règles de nature. On sent toute l'ironie de la remarque « si faisons nous bien ». D'ailleurs les soi-disant savants ne sont d'aucun secours en l'espèce : au contraire ! « J'aimeroy mieux que mon fils apprint aux tavernes à parler, qu'aux escholes de la parlerie. » (p. 141) Il s'agit là, sans doute, d'un point formel, mais c'est justement à la forme que Montaigne prête attention plus qu'à la « substance », puisque, nous l'avons vu, il serait illusoire de prétendre à la vérité. C'est au point d'ailleurs que, délaissant l'instruction que pourraient lui octroyer les ouvrages, il ne cherche en eux que la manière, que le style, puisque seul le style peut lui livrer l'homme.

La seconde exigence de cet exercice tient, plus encore que la première, à une qualité morale, à la force d'âme, à la noblesse. Il faut, si l'on veut jouir de la conversation comme d'un exercice et comme d'un exercice profitable, revenir à un état naturel, se débarrasser de la couche que la civilisation a déposée sur nos rapports et qui les affadit sous le désir de ne rien dire qui puisse blesser, sous les formules qui ne sont que des formules. Il faut retrouver dans ces joutes le sens des mots, supprimer la distance entre le langage et sa signification, ce que Montaigne considère d'ailleurs comme l'apanage même du gentilhomme :

J'ayme entre les galans hommes, qu'on s'exprime courageusement, que les mots aillent où va la pensée.

C'est là répondre d'une manière « virile » aux « dérobades de la conscience » qui « exploite avec virtuosité la dissociation de l'apparence et de l'être », de telle sorte que « le langage n'est plus le clair et fidèle miroir de nos sentiments », que nous sommes en présence d'une conscience non seulement « labyrinthique », mais encore « menteuse » (5, p. 63).

Incontestablement, en retournant ainsi à la nature, en cherchant à retrouver ce que Starobinski appelle la « transparence », c'est-à-dire la sincérité totale de la communication, l'honnête homme du siècle de Montaigne annonce Rousseau, en particulier celui du *Discours sur les sciences et les arts*. Ecoutons plutôt l'humaniste nous parler de la conversation selon son cœur (et la remarque date de l'édition de Bordeaux) :

Elle n'est pas assez vigoureuse et genereuse, si elle n'est querelleuse, si elle est civilisée et artiste, si elle craint le hurt et a ses allures contreintes. (p. 138)

La conversation permet donc d'acquérir à nouveau la qualité que notre monde artificiel ne cesse de limer avec son cortège de conventions, et c'est tout simplement celle du courage. Cependant cette force dans la conversation, il faut dire plus, cette violence d'« une amitié qui se flatte en l'aspreté et vigueur de son commerce, comme l'amour, és morsures et esgratigneures sanglantes » (*ibid.*), ne sauraient signifier la volonté d'imposer son point de vue au nom d'une sorte de supériorité hiérarchique, au nom d'une autorité que donnerait la vérité. Ce que l'amateur de vérité rejette, c'est en définitive la raideur du donneur de leçon, la « réjance » ou, comme il dit page 139, la « troigne... magistrale ». Il est sans doute utile de préciser que les deux termes, de même du reste que celui de « pédant », renvoient à l'image du maître d'école ou du professeur de collège si assuré de son savoir qu'il n'accepte pas de se voir contredit et considère comme une insulte personnelle le fait de ne pas être suivi dans ses observations ou dans ses réprimandes :

Mais je romps paille (= je me brouille) avec celuy qui se tient si haut à la main, comme j'en cognoy quelqu'un qui plaint son advertissement, s'il n'en est creu, et prend à injure si on estrive (= résiste) à le suivre. (p. 139)

A cet impérialisme du discours si contraire en son essence à l'ironie dans laquelle, « après le rapport despotique ou irréciproque d'inférieur à supérieur, qui implique hiérarchie soupçonneuse, méfiance et subordination », se manifeste la « fraternisation symposiaque » (5, p. 70). On l'a compris, Jankélévitch fait allusion au *Banquet* ou *Sumposion* de Platon, à Socrate. Or c'est justement à ce modèle que pense Montaigne :

Il m'est advis qu'en Platon et en Xenophon Socrates dispute plus en faveur des disputants qu'en faveur de la dispute (...) Il empoigne la première matiere comme celui qui a une fin plus utile que de l'esclaircir, assavoir esclaircir les esprits qu'il prend à manier et exercer. (p. 142)

En définitive un maître de la sorte n'a rien à voir avec le maître classique des enfants contre lequel s'élève l'organisateur de la conférence, il tient plutôt de l'ami, de l'amant. Amitié, amour, tels étaient les termes qui tout à l'heure accompagnaient l'évocation de la force, de la violence nécessaires au déroulement de la conférence. Tel est bien le sens de cet exercice, telle est la finalité recherchée par la conscience. Naturellement il s'en faut que les trois règles énoncées soient toujours observées et ce sont les conséquences de cette inobservation comme les remèdes qu'il est possible d'apporter à l'état de fait ainsi créé sur lesquels je voudrais maintenant faire porter mon examen.

B. LA CONSCIENCE IRONIQUE ET LA CONFUSION

Le dérèglement de la conversation, Montaigne n'hésite pas à le considérer comme un dérèglement moral punissable : « Noz disputes, nous dit-il, devoient estre defendues et punies comme d'autres crimes verbaux. » (p. 140) Le mot qui désigne le délit dit assez sa gravité pour Montaigne. Sans doute la faute tient-elle d'abord au fait que, manquant aux règles du jeu, tel que le sort a placé à un rang élevé ou qui croit disposer du savoir ne pourrait supporter l'idée d'être mis en position d'infériorité, de devoir céder dans la discussion, bref d'avouer sa défaite. Déjà, par leur réputation comme par leur maintien, ils attirent l'attention sur leur propre personne :

Non seulement les mots, mais aussi les grimaces de ces gens là se considerent et se mettent en compte, chacun s'appliquant à y donner quelque belle et solide interpretation. (p. 145)

Ces personnages, lorsqu'ils veulent bien accepter de se mêler à la « conference commune », vont user d'un véritable impérialisme visant à étouffer l'auditoire sous le poids de leurs connaissances. Or cette connaissance est présentée comme universelle : « Ils ont ouy, ils ont veu, ils ont faict ; vous estes accablé d'exemples. » (p. 145) — mouvement dont semble s'être inspiré La Bruyère dans son célèbre portrait : « Arrias a tout lu, tout vu, il veut le persuader ainsi. » Même prétention et même volonté d'imposer son autorité de part et d'autre.

Il y a pire cependant ; c'est d'abord de régler la conversation à sa guise en coupant la parole à qui vous gêne, en passant sans raison d'un thème à un autre, en intervenant au meilleur moment, tout cela sous le couvert « d'une authorité magistrale » grâce à quoi l'on se défendra

... des oppositions d'autruy par un mouvement de teste, un sous-ris ou un silence, devant une assistance qui tremble de reverence et de respect. (p. 150)

Il y a crime, car il y a violence, et violence qui peut survenir à tout instant, même lorsque le sujet retenu ne poste nullement à gravité, lorsque la détente règne entre les contestants, comme c'est le cas pour le propos initial « d'un homme de monstrueuse fortune » cité par Montaigne : « Ce ne peut estre qu'un menteur ou ignorant qui dira autrement que, etc. » Comme le dit notre commentateur : « Suyvez cette pointe philosophique, un pouigniart à la main. » Inutile ici de souligner l'ironie du rapprochement entre « philosophique » et « pouignart » comme la dualité de sens du mot pointe. La voilà bien l'arme du crime — quant à sa nature, Montaigne la désigne bien par ailleurs : « Je hay toute sorte de tyrannie, et la parliere et l'effectuelle. » (p. 146) Tyrannie du mensonge qui montre du doigt tout contradicteur comme coupable du mensonge.

Mais il existe un deuxième type de mensonge, celui qui se dissimule dans l'abstrait et qui est le propre même du soi-disant savant. Au lieu de manifester sa connaissance par des réflexions touchant le détail même du texte dont il parle, celui-ci dissimule sous un jugement général et vague son ignorance : « Ces jugements universels que je vois si ordinaires ne disent rien. » (p. 151) Ce rejet du concret par les sots de cette espèce porte en soi condamnation, il s'apparente à la même démarche faite pour l'appréciation du monde ou des hommes. « Puisque chaque être, écrit Baraz, est un infini irréductible aux abstractions, pour vraies qu'elles soient, la réalisation de la vérité ne peut être que tentative sans cesse renouvelée. » (*4*, p. 175)

Il arrive que ce procédé puisse faire illusion dans la mesure où il est d'utilisation plus facile et Montaigne nous presse ici de discerner la responsabilité du hasard dans cette apparence de justesse :

S'ils jugent en parolles universelles : « Cecy est bon, cela ne l'est pas », et qu'ils rencontrent, voyez si c'est la fortune qui rencontre pour eux. (p. 151)

D'ailleurs le recours à l'abstraction constitue un abri si sûr qu'il est dangereux de le quitter pour une analyse concrète, ainsi que le remarque malicieusement l'érudit qui a fait justement son gibier de citations précises de tel ou tel ouvrage :

D'où j'ay veu, plus souvent que tous les jours, advenir que les esprits foiblement fondez, voulant faire les ingenieux à remarquer en la lecture de quelque ouvrage le point de la beauté, arrestent leur admiration d'un si mauvais choix qu'au lieu de nous apprendre l'excellence de l'autheur, ils nous apprennent leur propre ignorance. (*Ibid.*)

Or, nous dit l'adversaire des pseudo-savants, nous contribuons nous-mêmes à repêcher ces imbéciles. En effet, nous venons à leur secours en prenant la parole à leur place, en prolongeant par des mots précis ce qui chez eux restait vague, nous leur permettons cette fois de troquer l'abri de l'universalité contre celui que nous leur fournissons :

« C'estoit ce que je voulois dire ; voylà justement ma conception ; si je ne l'ay ainsin exprimé, c'est faute de langue. » (p. 152)

Cette bêtise est condamnable, elle est criminelle, elle mérite un châtiment. Elle ne saurait être redressée par les moyens habituels. Il s'agit de la traiter par « la malice », une malice qui ressemble à s'y méprendre à l'ironie, qui s'exprime avant tout par le silence et qui laisse l'adversaire désemparé. Le résultat ne se fait pas attendre :

... ils manieront cette matiere comme gens qui ont peur de s'eschauder (...) Croslez la tant soit peu, elle leur eschappe ; ils vous la quittent, toute forte et belle qu'elle est. (*Ibid.*)

Il y a chez Montaigne comme une sorte d'ivresse à goûter la vengeance, à forcer l'adversaire à prendre conscience de ses manques, à renoncer à ses prétentions :

J'ayme à les laisser embourber et empestrer encore plus qu'ils ne sont, et si avant, s'il est possible, qu'en fin ils se recognoissent. (*Ibid.*)

Malgré le plaisir gourmand pris à la manœuvre, l'exécution de cette tactique renvoie une fois encore à l'ironie comme moyen de faire prendre conscience à autrui autant que comme arme de la cons-

cience morale : « Le mensonge, écrit Jankélévitch, est une exhibition
dissimulante inspirée par une intention malveillante. Or c'est bien
autre chose que de tromper *en* aidant ou de tromper *pour* aider, de
cacher ou égarer en guidant, ou de cacher pour guider et pour révéler. » (*5*, p. 66)

Voici donc tous les obstacles qui s'opposent à une véritable communication : tyrannie de la parole, prétention injustifiée au savoir,
dissimulation sous le couvert de l'abstraction. Ces obstacles, il faut
tenter de les lever par le clair regard de la conscience ironique. Encore
n'y réussit-on pas toujours. Et les conséquences sont alors tragiques
pour la conscience comme pour l'esprit. C'est pourquoi il faut fuir
comme la peste la bêtise ou la sottise : « Mon jugement ne se corrompt pas seulement à la main d'un maistre si impetueux, mais ma
conscience. » (p. 140) On songe à la lettre à Lucilius dans laquelle
Sénèque met en garde son correspondant contre le caractère corrupteur et dégradant de la fréquentation de la foule : « Tu me demandes
ce qu'il faut surtout éviter. Selon moi : la foule... Pour ma part, du
moins, j'avouerai ma faiblesse : je ne suis jamais revenu chez moi
avec le genre de vie que j'en avais emporté. » Or qu'est-ce autre
chose, une conférence sans règle, une conférence de bêtise, qu'une
manifestation d'inconscience totale quant au sens de la conférence :

L'un va en orient, l'autre en occident ; ils perdent le principal, et l'escartent
dans la presse des incidens. Au bout d'une heure de tempeste, ils ne sçavent
ce qu'ils cerchent... (pp. 140-141)

Le phénomène se traduit d'abord par l'ignorance de l'existence du
partenaire : « Il pense à se suyvre, non pas à vous. » (*Ibid.*) Mais il
est surtout accompagné par un désordre quasiment général : on
« mesle dès l'entrée et confond le propos ». On évite le débat ou on
argumente sans réflexion. On substitue à l'argumentaton les cris, les
injures, les mots sans signification, les discours inutiles ou sans rapport avec le sujet. Et Montaigne, dans un superbe paragraphe agré-
menté de maintes additions, soulevé par l'ardeur insensée de la dispute et brisé comme elle en divers morceaux, dépeint à merveille cette
sorte d'atomisation à quoi mène la mauvaise conférence. Cette tragé-
die de la confusion aboutit à un bilan désastreux :

Nous n'aprenons à disputer que pour contredire, et, chascun contredisant et
estant contredict, il en advient que le fruit du disputer c'est perdre et aneantir
la verité. (p. 140).

Quelle est la cause de tout ce dommage ? la corruption entraînée par
le contact avec des êtres dont la conscience n'est pas claire : « La
conversation avec un esprit confus est elle-même confondante ; elle

fait basculer, valser, chavirer les idées, elle est affolante et dissol-
vante ; personne ne s'y reconnaît plus. » *(6, p.* 161) Jankélévitch, lui
aussi, souligne le caractère frénétique de cette sorte de contagion :

... la confusion se redouble elle-même, se multiplie par elle-même, s'enivre
d'elle-même et grossit à la manière de l'avalanche ; c'est une enchère inces-
sante, une vertigineuse auction : *crescendo, accelerando* et *precipitando*
règlent normalement l'aggravation d'une fièvre qui ne fait que croître et
embellir ; la confusion, étant anarchie et désordre, n'obéit à d'autre loi que
la loi de la frénésie passionnelle : l'impur abonde dans l'impureté et, accélé-
rant à l'envi le processus de péjoration, ne cesse d'épaissir la bouillie où il se
plonge. *(6, p.* 160)

Or l'origine du mal réside, dit Jankélévitch, dans l'inconscience et,
lorsque cette catastrophe atteint les nations, elle est complète s'il
n'existe pas parmi elles « une conscience trouble-fête, un prophète de
malheur, un rabat-joie soucieux pour les empêcher de danser... ne
réagissant plus, elles ignorent l'indignation, et la colère, et la
révolte ». Certes, il serait extravagant de voir en notre auteur un
rabat-joie, lui qu'on sent animé d'une conscience allègre, d'une
gaieté que rien ne saurait vraiment troubler. Cependant ne joue-t-il
pas ce rôle au sein de la société qu'il fréquente ? Et cette volonté de
conscience qui se manifeste dans *L'Art de conférer* ne vient-elle pas
donner son sens à l'ensemble des *Essais* ?

Conclusion

Si Montaigne a cherché à se faire connaître dans ct par la communication, il ne faut pas oublier, comme l'indique Hugo Friedrich, que
le dialogue a constitué à l'époque de la Renaissance l'instrument privilégié du savoir sous tous ses aspects.

Cette forme, écrit Friedrich, se prête au va-et-vient des opinions qui s'entre-
choquent tantôt par jeu, tantôt dans un dessein critique, et est propre à fixer
l'attention sur une foule de matières doxographiques et empiriques en les dis-
tribuant entre divers personnages, cependant qu'elle laisse la plus souple
liberté à l'auteur. *(1, p.* 375)

Or si l'auteur des *Essais* a choisi une matière unique, à savoir lui-
même, il sait que ce sujet est aussi impossible à cerner, puisqu'il ne
cesse de se mouvoir, de se modifier. N'a-t-il pas déclaré : « Je ne
peins pas l'être, je peins le passage » ? Et comment mieux manifester
son être dans la conscience de ses contradictions que par une série de

conversations dans lesquelles interviennent non seulement le sujet et
l'objet, mais les contemporains dans l'Ici et le Maintenant, éclairés
par la sagesse souriante des propos choisis de quelques anciens ?
« Sans rien en eux qui pèse ou qui pose. »

Cette œuvre se présente donc dans le libre déroulement d'une conscience sans cesse en train de se saisir. Dès lors on comprend mieux les
coups réservés à ce qu'on appelait la « pédanterie », signe de l'enfer-
mement face à l'ouverture, de la fausse conscience d'un savoir fixé
face à la lucidité de l'homme qui ne cesse de quêter, de rechercher :

La pédanterie, dit encore Friedrich, (...) représente la quintessence du manque de liberté intellectuelle et d'un exercice de mémoire qui livre l'homme à
la tradition sans permettre l'éveil de l'âme ni la possibilité d'être soi-même.
(*1*, p. 102)

D'un autre côté la conférence menée avec le concours d'êtres selon
son cœur, entendez de ces personnages dont la noblesse permet
l'allure libre et franche de l'échange des propos, est profitable à
l'auteur tout autant qu'à l'intervenant. N'est-elle pas un essai des
Essais, un apprentissage oral et temporaire du grand apprentissage
de la vie, lequel commence par la conscience de soi et de ses manques ? Car le grand livre des *Essais* est d'abord un livre contre « la
suffisance pure livresque », contre ceux pour qui le livre remplace la
vie de l'esprit. « En ceux-là (...) qui se raportent de leur entendement
à leur mémoire (...) et ne peuvent rien que par livre, je le hay (le
savoir), si je l'ose dire, un peu plus que la bestise. » (p. 142) Accepter
les remarques d'autrui, c'est élargir son esprit et son âme, c'est assurer son jugement, c'est permettre à la conscience le retour sur soi, ironie salubre pour quiconque s'apprête à se confier à ses lecteurs tel
qu'il se découvre et se redécouvre.

Rappelons enfin sur ce point que le gentilhomme de la Renaissance
est aussi la conscience de son époque, celui qui refuse de confondre
les particuliers du camp ennemi avec les idées qu'il juge néfastes,
celui qui condamne l'usage de la torture au nom de la conscience,
celui qui s'élève contre le colonialisme des conquêtes d'Amérique.
C'est proprement la vertu de communication qui explique l'étendue
de cette conscience et c'est proprement le caractère allègre et serein de
son ironie qui en est le signe. Or cette bonne humeur, si patente dans
les *Essais,* est sans aucun doute constitutive du charme de l'œuvre
qui tient autant à la fantaisie de « l'alleure à sauts et à gambades »
qu'à la profusion des métaphores qui nous rappellent sans cesse à
notre condition humaine, qu'à la poésie de l'éclatement du temps et
de l'espace qui agrandit jusqu'au vertige notre univers, qu'à la verve
d'un conteur qui ne connaît ni l'emphase ni le style pontifiant.

Enfin, nous l'avons dit, notre ironiste, qui eût voulu guider un maître, est assurément d'un conseil indispensable à notre époque. Certes les temps ont changé, certes Montaigne dispose d'une fortune qui lui permet de jeter un regard plus serein sur son époque. Mais il est un trait qui plus que jamais doit nous retenir : c'est son refus absolu de l'abstraction, du « jugement universel et en gros ». En définitive est ainsi rejetée la volonté de globalisation inséparable de la conviction que possède celui qui forme le projet de posséder la vérité. Or qui dit globalisation dit exclusion et l'image de la fermeture est justement significative de tel spécialiste qui « vous tient assiégé sur la closture dialectique de ses clauses et sur les formules de son art » (p. 141). Le fervent adepte de la communication et de la conférence, l'ironiste conscient de la diversité des choses et des êtres nous invite aujourd'hui, où que nous soyons engagés, à lutter avec ardeur et, s'il se peut, bonne humeur contre le totalitarisme de l'abstraction qui nous oblige à considérer que l'autre n'existe pas s'il ne souscrit pas à nos idées. La conscience ironique est donc dans les *Essais* un appel à la liberté ici et maintenant.

BIBLIOGRAPHIE

SUR MONTAIGNE

Ouvrages généraux

1. Hugo Friedrich, *Montaigne,* Gallimard, 1968.
2. Francis Jeanson, *Montaigne par lui-même,* Seuil, 1954.

Aspects particuliers

3. Keith C. Cameron, *Montaigne et l'humour,* Minard, Archives des lettres modernes n° 71, 1968.
4. Michaël Baraz, *L'Etre et la connaissance selon Montaigne,* Corti, 1968.

AUTRES OUVRAGES

5. Vladimir Jankélévitch, *L'Ironie,* Flammarion, 1964.
6. —, *Le Pur et l'impur,* Flammarion, 1960.

DICTIONNAIRE DE L'ACADÉMIE
(1935)

IRONIE. n. f. Figure de rhétorique par laquelle on dit le contraire de ce qu'on veut faire entendre. *Ce compliment n'est qu'une ironie. L'ironie abonde dans les* Lettres provinciales, *dans les* Lettres persanes. *Il a une grande facilité à manier l'ironie.*

Par extension, IRONIE signifie plus ordinairement Moquerie sarcastique dans le ton ou dans l'attitude. *Il l'intimidait dans sa façon de le regarder. Il dit cela par ironie. Ironie fine. Ironie amère, cruelle. Il mit dans ses paroles une nuance d'ironie.*

Ironie socratique, se dit des Interrogations par lesquelles Socrate, discutant avec les sophistes, les amenait peu à peu à se contredire.

Fig., *Ironie du sort,* Accident qui arrive à quelqu'un si fort à contretemps qu'il paraît une moquerie du sort ; ou encore, Contraste étrange que présentent deux faits historiques rapprochés par quelque côté. *C'est comme par une ironie du sort que le dernier empereur d'Occident s'appela Romulus Auguste.*

HUGHES LABRUSSE

Montaigne, apprenti

Résumé

L'apprentissage de la langue est à l'œuvre tout au long des Essais. Les contrariétés et les variations du langage ne justifient aucune dissimulation, mais offrent au contraire à l'homme la possibilité de se frayer un chemin à travers les ambiguïtés de la parole, vers la vérité.

Rien n'est donc moins sûr que l'ironie que l'òn serait tenté de prêter à la démarche de Montaigne, à cause de son·attitude de repli, de ses références à Socrate, de sa prédilection pour les états affectifs et de son ouverture au monde poétique.

En fait, le concept d'ironie appartient à une représentation à laquelle échappe en grande partie Montaigne. Au contraire de ce que l'on croit souvent, il n'effectue aucune distinction décisive entre la pensée et la forme, mais ne cesse de faire signe vers leur coïncidence, en dénonçant malgré tout les facticités et les modes du langage. « L'art de conférer » évoque une manière d'être envers le langage que connaissaient les Anciens, et que nous avons perdue.

Les Essais pèsent et évaluent les modifications de la pensée par rapport à la langue et se révèlent être une école en vue de l'apprentissage le plus difficile : la dimension poétique.

Hughes Labrusse, agrégé de philosophie, est professeur en classe préparatoire au Lycée Malherbe de Caen. Il a publié de nombreux recueils de poésie, dont tout récemment *Deuil blanc* (Rougerie). Membre du comité de rédaction de *Sud*, il est l'auteur de plusieurs études consacrées à des poètes. Il a également collaboré aux *Lectures de « Une vie » de Maupassant* (DIA, 1979).

« Ici on parle francès », note Montaigne dans son *Journal de voyage en Italie,* en arrivant à Novalèse, lors de son retour, avant de « se faire ramasser de l'autre côté » du Mont-Cenis. Cette brève remarque prend un tour des plus riches et des plus solides dans la formulation de Montaigne, quand on ne borne pas sa langue au vulgaire tarif de l'expression linguistique ni aux lignes simplistes de la communication.

LA PRATIQUE DE LA LANGUE

« Ici on parle francès » veut dire : ici on pratique la langue française. Mais une telle pratique ne confère aucun caractère instrumental à la langue. Elle en est l'usage, sans mesure utilitaire, comme façonnement réciproque de ce qui est dit et de qui s'y consacre. La matière à l'œuvre et la manière de l'exposer se conjuguent comme une seule et même entreprise, au jeu de la parole qui se déploie. L'affrontement y est de rigueur, sur ce terrain que devient l'écriture, entre l'agileté de l'intelligence et ce qui vient à languir sous le poids de l'ordinaire, entre l'inadvertance des mots et leur redressement inévitable, entre l'écho d'hier et la tonalité nouvelle. Cependant, Montaigne ne brise pas, n'envenime jamais le conflit. Il laisse advenir les contrastes dans la bienveillance de leur retrait, selon la vertu de cette sentence de Sextus Empiricus peinte dans la librairie :

Ce n'est pas plus de cette façon que de celle-là ou que d'aucune des deux.

Prudence est peut-être le terme qui, chez Montaigne, correspond à un tel retrait. Il est partout, au cours de sa démarche. Pour commencer, dans les ambiguïtés du langage qui s'enchevêtrent à celles de l'existence. Montaigne n'hésite pas à en courir les risques, de les mettre à l'*essai,* d'où les multiples variations de son discours, sa « maistresse forme, qui est l'ignorance », ses labyrinthes de vérités et d'incertitudes, ce désordre apparent traversé par un ordre imperceptible, cette nuit couseuse d'étoiles. Loin d'écarteler le clair et l'obscur, comme va s'y atteler la conviction du XVIIe siècle, il les maintient dans les étranges parentés de leurs facettes diverses :

Joint qu'à l'adventure ay-je quelque obligation particuliere à ne dire qu'à demy, à dire confusement, à dire discordamment. (*Essais,* III, 9)

Montaigne se dérobe avec intention. A proprement parler, il suspend son jugement, le mouvement et l'action de son langage. Les procédés foisonnent, la demi-teinte ne règle pas toute l'allure ; les enchantements et la diversité des signes, les détours imprévisibles et l'ornement de bon aloi propagent également, souvent avec paradoxe, la nuance et la suggestion. Montaigne apprécie au plus haut point la somptuosité fantaisiste de la vie dont il faut trier la profusion pour que s'en dégage un témoignage :

Comme, en un concert d'instruments, on n'oit pas un lut, une espinette et la flutte, on oyt une harmonie en globe, l'assemblage et le fruit de tout cet amas. (...) Ce n'est pas assez de compter les experiences, il les faut poiser et assortir et les faut avoir digerées et alambiquées, pour en tirer les raisons et les conclusions qu'elles portent. (*L'Art de conférer*, pp. 145-146).

Le tri, qui est le propre du langage, contribue d'abord à faire des mots et de leur registre les touches et les cordes d'un diapason musical, *poétique*.

Donner les choses à vibrer, à travers le décalage des noms, ne signifie nullement dissimuler, mentir :

(...) Quant à cette nouvelle vertu de faintise et de dissimulation qui est à cette heure si fort en credit, je la hay capitalement et, de tous les vices, je n'en trouve aucun, qui tesmoigne tant de lacheté et bassesse de cœur. C'est un'humeur couarde et servile de s'aller *desguiser* et *cacher sous un masque*, et n'oser se faire voir tel qu'on est. (*Essais*, II, 17)

La farcissure, les égarements, la licence que se permet, « par mesgarde », Montaigne, ne proviennent donc pas d'une perfidie de langage. La fantaisie les gouverne dans la mesure où elle coïncide, *en vérité*, avec le dialogue des hommes et de la réalité. Aussi les parures du discours ont-elles « une merveilleuse grace à se laisser ainsi rouler au vent, ou à le sembler ». (*Essais*, III, 9)

Mais l'équivoque persiste jusque dans l'écart manifesté devant la fourberie. Car la sincérité connaît sa propre défaillance. Pire, elle vacille entre la vérité « nue et crüe » qui peut manquer de corps, et l'art, l'un des exercices privilégiés de la pensée.

Moy-mesme, qui faicts singuliere conscience de mentir et qui ne me soucie guiere de donner creance et authorité à ce que je dis, m'apperçoy toutesfois, aux propos que j'ay en main, qu'estant eschauffé ou par la resistance d'un autre, ou par la propre chaleur de la narration, je grossis et enfle mon subject par vois, mouvements, vigueur et force de parolles, et encore par extention et amplification, non sans interest de la vérité nayive. Mais je le fais en condition pourtant qu'au premier qui me rameine et qui me demande de la verité nue et crüe, je quitte soudain mon effort et la luy donne sans exaggeration, sans emphase et remplissage. La parole vive et bruyante, comme est la mienne ordinaire, s'emporte volontiers à l'hyperbole.(*Essais*, III, 11)

L'INTERPRÉTATION

Nous le voyons, l'approche de Montaigne n'appartient à aucune systématisation, en quoi sa modernité dépasse de loin les *réflexions* actuelles du langage, mais *balance* sans cesse. Aucune situation n'est jamais acquise par Montaigne, car toute perspective recèle son non-lieu, ou plutôt la déclinaison qui la libère aussi bien pour le reflux de sa lumière que pour la distribution de sa *fable,* son partage interprétatif :

Il y a plus affaire à interpreter les interpretations qu'à interpreter les choses, et plus des livres sur les livres que sur autre subject : nous ne faisons que nous entregloser. Tout fourmille de commentaires ; d'auteurs, il en est grand cherté. (*Essais,* III, 13)

Interpréter, c'est ne s'autoriser d'aucune présomption, mais traduire d'une langue dans une autre (comme Montaigne conduit les Anciens vers lui-même) et donner un sens, à savoir une direction, à la métamorphose des choses. Une telle mutation exige vigilance et attention afin d'*apprendre* à s'offrir à l'appel du monde qui nous entoure, sans chercher à le fixer. S'ouvrant à son *portrait,* Montaigne ne commet pas l'oubli que dénonce Pascal, avec trop de hâte. Il restreint « les appartenances de notre vie à leurs justes et naturelles limites ». Ce regard qui rétrocède vers soi-même pour y puiser une juste vigueur, une énergie sans servitude, est, somme toute, plus difficile que l'exaltation de ces croyances venues d'ailleurs, propres à nous détourner et à nous distraire, qui nous font jouer « comme rolle d'un personnage emprunté ». Mais de surcroît la finesse de Montaigne réside en cela qu'il ignore l'introspection. En effet, il ne découvre personne en particulier, sinon l'être de la mort qui « nous est toujours également près ». L'homme n'est donc pas un individu simple, mais un *partage* « d'une contexture si informe et diverse que chaque pièce, chaque moment fait son jeu » (*Essais,* II, 2). Il ajoute : « Et se trouve autant de difference de nous à nous-mesmes, que de nous à autruy. »

SOCRATE

Cette différence au-dedans du monde nous jette en dehors de son instance. Nous sommes enracinés par le déracinement. A moins que ce ne soit les choses qui, en la présence de l'homme, demeurent magiquement transplantées dans une *autre* dimension. Figure et défiguration coïncident, se remercient en l'extraordinaire récidive de leur unité. Ce à quoi répond un mouvement de recul, d'horreur ou de jovialité, de refus ou de danse, en tout cas autant de marques rendues visibles de ce froissement qui nous affecte. Ce repli semble nous abandonner dans une incertitude, une réfutation perpétuelle qui s'apparentent au vide. *Rien* ne peut alors se confirmer, et ce manque de plénitude laisse la place à l'*ironie* qui elle-même se déplace toujours, en transportant l'absence qui la « peuple ». « Mon livre est nul, je sais », déclare résolument Montaigne. Par la méthode de l'ironie, s'il est vraiment possible de la lui prêter, Socrate annule aussi sa vie en la réduisant à la dette d'un coq à Esculape libérateur. Seulement, si, pense Nietzsche, Socrate dégrade l'intelligence de son antagoniste, « dans l'agitation qui souleva l'esprit de la réforme, Montaigne marque un recueillement, un moment de calme pour reprendre haleine ». (*Richard Wagner à Bayreuth*, § 3, *Considérations inactuelles*, IV). S'il dételle un moment, c'est en vue de nous élever par la suite. Certes, Montaigne, quand il évoque Socrate, ne cherche pas la formule de sa maladie secrète. Il retient l'esprit de son dialogue inégalable :

De quelque chose qu'on s'enquit à lui, il ramenait en premier lieu toujours l'enquerant à rendre compte des conditions de sa vie présente et passée, lesquelles il examinait et jugeoit, estimant tout autre apprentissage subsecutil à celuy-là et supernumeraire... Socrates va toujours demandant et esmouvant la dispute, jamais l'arrestant, jamais satisfaisant, et dict n'avoir autre science que la science de s'opposer. (*Essais,* II, 12)

Nous découvrons par ces indications « l'élection » d'échapper aux prescriptions irrévocables, surtout parce qu'elles entravent le goût de la volupté à laquelle s'attache notre corps. La trêve et le vide que provoque Montaigne visent à améliorer la jouissance du vivre, non à médiatiser l'abstraction.

Nietzsche écrit, dans « Le problème de Socrate » : « Etre *forcé* de lutter contre les instincts — c'est la formule de la décadence : tant que la vie est *ascendante,* bonheur et instinct sont identiques. » Et Montaigne, sans aucune trace de condamnation de la vie : « L'homme marche entier vers son croist et son descroit. » Mais ce parcours est inséparable de la joute que révèle la langue et ses manifestations toniques. Il en élucide les modes opposés :

Horace ne se contente point d'une superficielle expression, elle le trahiroit. Il voit plus cler et plus outre dans la chose ; son esprit crochette et furette tout le magasin des mots et des figures pour se representer ; et les luy faut outre l'ordinaire, comme sa conception est outre l'ordinaire. Plutarque dit qu'il veid le langage latin par les choses ; icy de mesme : le sens esclaire et produit les parolles ; non plus de vent, ains de chair et d'os. Elles signifient plus qu'elles ne disent. Les imbeciles sentent encore quelques images de cecy : car en Italie je disois ce qu'il me plaisoit en devis communs ; mais, au propos roides, je n'eusse osé me fier à un Idiome que je ne pouvois plier, ni contourner outre son alleure commune. J'y veux pouvoir quelque chose du mien.

Le maniement et emploite des beaux espris donne pris à la langue, non pas l'innovant tant comme la remplissant de plus vigoreux et divers services, l'estirant et ployant. Ils n'y aportent point des mots, mais ils enrichissent les leurs, appesantissent et enfoncent leur signification et leur usage, luy aprenant des mouvements inaccoutumés, mais prudemment et ingenieusement. (*Essais*, III, 5, p. 88)

S'il faut donc toujours se souvenir « que c'est l'homme qui donne et l'homme qui reçoit », cela se produit à travers la condition *merveilleusement* corporelle de la langue. Tout transite à « l'envy de la langue », ce qui ne signifie pas du tout à son encontre, mais dans la rivalité à laquelle elle oblige les choses.

LE JEU DU LANGAGE

Nous parvenons à un point particulièrement délicat qui, d'ailleurs, peut décider de la couleur ironique ou non des propos de Montaigne.

A travers les *Essais*, en effet, il est indéniable que le langage, par l'arbitraire du mot, par l'ambiguïté de la signification, par la richesse inépuisable de ses indications, fait connaître un phénomène mais tout aussitôt le métamorphose, soit en le laissant partiellement découvert, soit en le faussant en lui prêtant trop ou pas assez, soit en l'enveloppant de la rigidité d'une généralisation. Est-ce à dire que la critique du langage est négative ? Que l'ironie s'infiltre dans la béance ouverte entre les choses et les noms ? Il faudrait alors comprendre pourquoi Montaigne s'applique avec tant de soins à dire comment s'élabore le langage et combien il est heureux de faire circuler les mots, d'aller les quérir comme de l'eau en une fontaine, et d'en dispenser le ruissellement. Par conviction rationaliste, l'on croit voir dans la dissémination du langage un aveu d'impuissance. Mais au contraire, pour qui se livre sans réserve à ses fluctuations, se préparent des découvertes inimitables, des *voyages* où l'âme a « une continuelle exercitation à remarquer les choses inconnues et nouvelles ; et je ne sache point de meilleure école, comme j'ai dit souvent, à former la vie que de lui proposer incessamment la diversité de tant d'autres vies, fantaisies et usances et de lui faire goûter une si perpétuelle variété de formes de notre nature » (*Essais*, III, 9).

La crispation logique ne s'accommode guère de cette humeur. A tel point que des courants linguistiques cherchent à opérer, dans l'étude des *Essais*, une distinction structurelle entre la pensée et le langage. De citer en appui cet extrait de « De la gloire » (II, 16)

Il y a le nom et la chose ; le nom, c'est une voix qui remarque et signifie la chose ; le nom, ce n'est pas une partie de la chose ny de la substance, c'est une pièce estrangere joincte à la chose, et hors d'elle.

Que le langage ne soit proprement à l'image de rien, qu'il communique *autre* chose, nous en convenons. Mais où est-il dit, par Montaigne, que la pensée n'est pas coexistante à une forme quelconque de langage ? Bien mieux, elle l'est à ce point qu'il admettrait volontiers une *raison* aux animaux parce qu'ils usent d'échanges : « En certain abbayer du chien le cheval cognoist qu'il y a de la colere ; de certaine autre sienne voix il ne s'effraye point. » Il s'autorise également de Lucrèce : « *Non alia longe ratione atque ipsa videtur. Protabere ad gestum pueros infantia linguae* (Ce n'est pas autrement que l'on voit les enfants suppléer par le geste à leur voix impuissante). Mais alors, c'est le mot qui manque, le langage qui est défaillant, non pas à la manière d'un outil cassé ou bien encore *ininventé,* mais comme présence retenue, parfois comme silence, preuves s'il en est de sa « consubstantialité » avec les êtres vivants.

La pensée n'existe pas indépendamment de la parole. Il est vrai, cependant, qu'une dissimilarité se fait jour entre ce qui s'énonce et ce que l'on dit. Car, par ce glissement, la parole à la fois vient à nous et se refuse. Montaigne a parfaitement compris que cette impuissance relative à dire nous conduit à la *vérité* des choses et de nous-mêmes, et donne à la pensée, justement, le visage qui lui convient. Mais alors on la caricature quand on entend la stratifier, la résoudre par une construction artificielle et l'asseoir sur des principes didactiques :

Or qui n'entre en deffiance des sciences, et n'est en doubte s'il s'en peut tirer quelque solide fruict au besoin de la vie, à considerer l'usage que nous en avons : « *Nihil sanantibus litteris* » (De ces lettres qui ne guérissent rien) ? Qui a pris de l'entendement en la logique ? où sont ses belles promesses ? « *Nec ad melius vivendum nec ad commodius disserendum* » (Ni à mieux vivre, ni à raisonner plus aisément). Voit-on plus de barbouillage au caquet des harangeres qu'aux disputes publiques des hommes de cette profession ? J'aimeroy mieux que mon fils apprint aux tavernes à parler, qu'aux escholes de la parlerie. Ayez un maistre és arts, conferez avec luy : que ne nous faict-il sentir cette excellence artificielle, et ne ravit les femmes et les ignorans, comme nous sommes, par l'admiration de la fermeté de ses raisons, de la beauté de son ordre ? que ne nous domine-t-il et persuade comme il veut ?... Il me semble, de cette implication et entrelasseure de langage, par où ils nous pressent, qu'il en va comme des joueurs de passe-passe : leur souplesse combat et force nos sens, mais elle n'esbranle aucunement notre creance ; hors de ce bastelage, ils ne font rien qui ne soit commun et vile. Pour estre plus sçavants, ils n'en sont pas moins ineptes. (*L'Art de conférer,* pp. 141-142)

Cette critique s'accompagne d'une mise en garde contre la *vanité des paroles* lorsqu'elles servent à tromper, dans l'ordre de la rhétorique, des affaires politiques, du prétexte moral, de la religion, bref là où les actions humaines se heurtent pour imposer un dogme, une doctrine, un pouvoir, ou pire, une opinion au gré du préjugé.

LA POÉSIE – L'IRONIE

Si Montaigne ne tenait pas le langage pour le lieu privilégié de toute expérience de l'existence, s'attarderait-il à démonter les facticités qui le menacent ? En un temps de crise et de détresse, à un tournant de la « civilisation », Montaigne ne chercherait pas à délivrer sa langue, s'il n'avait déjà trouvé ce caractère remarquable de la pensée — qu'elle est œuvre de poète :

J'ayme l'alleure poetique, à sauts et à gambades. C'est un art, comme dict Platon, legere, volage, demoniacle. (...) Je vais au change, indiscrettement et tumultuairement. Mon stile et mon esprit vont vagabondant de mesmes. Il faut avoir un peu de folie, qui ne veut avoir plus de sottise, disent et les preceptes de nos maistres et encore plus leurs exemples.

Mille poëtes trainent et languissent à la prosaïque ; mais la meilleure prose ancienne (et je la seme ceans indifferemment pour vers) reluit par tout de la vigueur et hardiesse poëtique, et represente l'air de sa fureur. Il luy faut certes quitter la maistrise et preeminence en la parlerie. Le poëte, dict Platon, assis sur le trepied des Muses, verse de furie tout ce qui luy vient en la bouche, comme la gargouille d'une fontaine, sans le ruminer et poiser, et luy eschappe des choses de diverse couleur, de contraire substance et d'un cours rompu. Luy mesmes est tout poëtique, et la vieille theologie poësie, disent les sçavants, et la premiere philosophie. C'est l'originel langage des Dieux. (*Essais*, III, 9)

Le désordre poétique émane de l'authentique harmonie du monde. C'est en définitive l'ordre de la vie, à laquelle l'art suprême doit consentir, s'il veut fortifier, rendre mûre, « parfaicte et accomplie » la naissance ordinaire des choses, imparfaite, et ce, comme a su le faire le « poète des poètes », Homère, par les paroles et les productions poétiques. Montaigne prend l'audace d'affirmer que la connaissance des choses, chez Homère, précède bien avant la rédaction des règles et des observations des sciences. On ne peut assigner un rôle plus prédominant à la langue. A la poésie, la plus noble activité de l'homme, est étroitement liée la tendresse :

Qui ostera aux muses les imaginations amoureuses, leur desrobera le plus bel entretien qu'elles ayent et la plus noble matiere de leur ouvrage ; et qui fera perdre à l'amour la communication et service de la poësie, l'affoiblira de ses meilleures armes... (*Essais*, III, 5)

Le ravissement poétique est le surgissement radical de notre nature. C'est une perfection quasi absolue, comme divine, qui, dans l'allégresse nous octroie l'authentique jouissance de notre être. Rien de sinistre dans cette considération, pas même un « doute méthodique », mais *le goût de la vérité alliée à la liberté* qui implique le *dégoût* de toutes les opérations du langage qui ne procèdent pas de l'inépuisable fécondité de l'esprit dont l'allure est celle de la promenade. Aucune préméditation chez Montaigne, ce qui nous porte à penser qu'en toute rigueur le concept d'ironie ne s'applique nullement à son projet. L'ironie procède d'une intention discursive et joue, en tout cas, le rôle d'un moyen terme dialectique quand bien même il est suspendu à la forme d'une négativité absolue. Montaigne, au contraire, se désigne comme « un philosophe impremedité et fortuite », d'autant que, précise-t-il : « Mon dessein est de représenter en parlant une profonde nonchalance et des mouvements fortuites et impremeditez, comme naissant des occasions presentes. » Reste à se demander si les digressions et les improvisations ne cèlent une conscience aiguë qui refléterait le stade le plus subtil de l'ironie. Son ignorance est-elle simulée ou non ? Elle l'est dans la mesure où elle reste relative et en quelque sorte toujours provisoire, car nous ne cessons, par tradition, de porter en nous le passé et de nous engager dans les connaissances de l'avenir. Mais Montaigne n'a jamais nié ce déroulement et ce remuement fructueux de la pensée. L'ignorance ne sous-tend pas un savoir qui viendrait à la biffer. Elle se manifeste comme l'éclaircie qui traverse toute appropriation et tout exercice de culture. En définitive, l'ignorance n'apparaît pas comme mitoyenne de la vérité, elle en est l'énigme la plus profonde, au cœur de laquelle brusquement jaillit la clairvoyance qui s'affranchit de tous les êtres et de soi-même en faisant signe vers les limites irremplaçables de chacun. Montaigne, méconnu par l'orgueil de Pascal et par la rumination de Descartes, nous offre un excellent apprentissage de la *finitude.* Le *oui* et le *non* ne se succèdent pas, chez lui, en vue d'une solution universelle, mais se reconnaissent mutuellement semblables, se conjuguent en une oscillation de figures et de métamorphoses réciproques.

Pour qui traite du langage comme d'une source vive, sans arrière-plan théorique, seulement comme transition perpétuelle qui s'abrite dans la « douceur de la solitude » et la finesse de l'expérience, *abolir,* comme l'exige la notion d'ironie, est encore de trop. Il se pourrait d'ailleurs que le concept d'ironie, comme le terme supérieur d'*humour,* restât inséparable, en leur contrepoint, soit de la spéculation soit de la mystique. Variations étrangères l'une et l'autre à la joyeuse et saine méditation de Montaigne. Les nombreuses références empruntées à l'attitude de Socrate doivent-elles nous corriger ? Pas plus que l'usage qu'il fait de Platon quand il lui inspire des allusions favorables à la poésie sans que n'intervienne le contexte des reproches et des condamnations sous-jacents. Le Socrate de Montaigne est approximatif. Nous n'y retrouvons Montaigne que partiellement, et il échappe certainement, ironie comprise, à ce formidable portrait tiré par Nietzsche :

L'ironie de Socrate était-elle une expression de révolte ? de ressentiment populaire ? Savoure-t-il, en opprimé, sa propre férocité, dans le coup de couteau du syllogisme ? se venge-t-il des grands qu'il fascine ? — Comme dialecticien on a en main un instrument sans pitié ; on peut avec lui faire le tyran ; on compromet en remportant la victoire. Le dialecticien laisse à son antagoniste le soin de faire la preuve qu'il n'est pas un idiot : il rend furieux et en même temps il prive de tout secours. Le dialecticien *dégrade* l'intelligece de son antagoniste. Quoi ? la dialectique n'est-elle qu'une forme de la *vengeance* chez Socrate ? (Nietzsche, « Le problème de Socrate », 7)

Rien ne répond ici aux traits de Montaigne. Et si l'ironie obéit aux thèmes de la *révolte,* de l'œil hypocrite et trouble qui tient à l'affût son adversaire, de la *vengeance,* le chapitre 8 du Livre III des *Essais,* tenu en grande estime par Pascal, suffit à nous détourner de la tentation d'un rapprochement illicite. L'*art de conférer,* c'est-à-dire de *contribuer,* ou plutôt de faire en sorte que d'un discours en commun advienne une contribution, selon une discrétion, un cheminement propre à chacun. Mais règne dans l'ironie, assez proche en cela de la *raillerie,* la présomption d'un « pouvoir absolu de lier et de délier ». Le décalage entre les différents phénomènes qu'elle entretient vigoureusement tient lieu de prétexte à sa critique en vue de son bon plaisir. S'il est également vrai que l'ironie tourne à vide, comme à son propre « rouet », elle n'émarge pas au compte de ce passage :

Quelle plus grande victoire attendez-vous, que d'apprendre à vostre ennemy qu'il ne vous peut combattre ? Quand vous gaignez l'avantage de vostre proposition, c'est la verité qui gaigne ; quand vous gaignez l'avantage de l'ordre et de la conduite, c'est vous qui gaignez. Il m'est advis qu'en Platon et en Xenophon Socrates dispute plus en faveur des disputants qu'en faveur de la dispute, et, pour instruire Euthydemus et Protagoras de la connoissance de leur impertinence, plus que de l'impertinence de leur art. Il empoigne la premiere matiere comme celui qui a une fin plus utile de l'esclaircir, assavoir esclaircir les esprits qu'il prend à manier et exercer. L'agitation et la chasse est proprement de notre gibier : nous ne sommes pas excusables de la conduire mal et impertinemment ; de faillir à la prise, c'est autre chose. Car nous sommes nais à quester la verité ; il appartient de la posseder à une plus grande puissance. Elle n'est pas, comme disoit Democritus, cachée dans le fons des abismes, mais plustost eslevée en hauteur infinie en la cognoissance divine. Le monde n'est qu'une escole d'inquisition. (*L'Art de conférer*, p. 142)

La tempérance de Montaigne ne le précipite pas dans la course dévorante de l'ironie. Il évite aussi bien le formalisme, le nominalisme que la conceptualisation, mais il laisse toujours entendre que *l'être est son paraître*. Le même texte se poursuit ainsi :

... Le monde n'est qu'une escole d'inquisition. Ce n'est pas à qui mettra dedans, mais à qui faira les plus belles courses. Autant peut faire le sot celuy qui dict vray, que celuy qui dict faux : car nous sommes sur la maniere, non sur la matiere du dire. Mon humeur est de regarder autant à la forme qu'à la substance, autant à l'advocat qu'à la cause, comme Alcibiades ordonnoit qu'on fit.

Et tous les jours m'amuse à lire en des autheurs sans soin de leur science, y cherchant leur façon, non leur subject. Tout ainsi que je poursuy la communication de quelque esprit fameux, non pour qu'il m'enseigne, mais pour que je le cognoisse. Tout homme peut dire veritablement ; mais dire ordonnéement, prudemment et suffisamment, peu d'hommes le peuvent. (*Ibid.*, pp. 142-143)

Le travail de destruction et de dérision à l'œuvre dans les *Essais* renforce pourtant la similitude de Montaigne avec les grands ironistes : rien ne serait fermement établi, tout serait à faire selon les possibilités du hasard qui porte en lui-même la contradiction de son existence. Bien entendu, les modulations indéfinies et indéterminées dissolvent alors le sens :

Le subject, selon qu'il est, peut faire trouver un homme sçavant et memorieux, mais pour juger en luy les parties plus siennes et plus dignes, la force et beauté de son ame, il faut sçavoir ce qui est sien et ce qui ne l'est point, et en ce qui n'est pas sien combien on luy doibt en consideration du chois, disposition, ornement et langage qu'il y a fourny. Quoy ? s'il a emprunté la matiere et empiré la forme, comme il advient souvent. Nous autres, qui avons peu de practique avec les livres, sommes en cette peine que, quand nous voyons quelque belle invention en un poëte nouveau, quelque fort argument en un prescheur, nous n'osons pourtant les en louer que nous n'ayons prins instruction de quelque sçavant si cette piece leur est propre ou si elle est estrangere, jusques lors je me tiens tousjours sur mes gardes. (*Ibid.*, p. 155)

Si les premières lignes de ce paragraphe confirment l'importance accordée par Montaigne à la *forme,* son final, lui, allie brusquement l'exigence d'un dévoilement plus authentique qui ruine l'identité envisagée avec l'attitude ironique.

Soulignons la diffraction :

(...) le n'oser parler rondement de soy a quelque faute de cœur. Un jugement roide et hautain et qui juge sainement et seurement, il use à toutes mains des propres exemples ainsi que de chose estrangere, et tesmoigne franchement de luy comme de chose tierce. Il faut passer par dessus ces regles populaires de la civilité en faveur de la verité et de la liberté. J'ose non seulement parler de moy, mais parler seulement de moy ; je fourvoye quand j'escry d'autre chose et me desrobe à mon subject. Je ne m'ayme pas si indiscretement et ne suis si attaché et meslé à moy que je ne me puisse distinguer et considerer à quartier, comme un voisin, comme un arbre. C'est pareillement faillir de ne veoir pas jusques où on vaut, ou d'en dire plus qu'on n'en void. Nous devons plus d'amour à Dieu qu'à nous et le cognoissons moins, et si, en parlons tout nostre saoul. (*Ibid.*, p. 157)

L'Art de conférer s'achève par ces phrases :

Je me presente debout et couché, le devant et le derriere, à droite et à gauche, et en tous mes naturels plis. Les esprits, voire pareils en force, ne sont pas toujours pareils en application et en goust.
Voilà ce que la memoire m'en represente en gros, et assez incertainement. Tous jugements en gros sont lâches et imparfaicts. » (*Ibid.*, p. 158)

LE REPLIEMENT DE MONTAIGNE
NE RÉPOND PAS AU CONCEPT DE L'IRONIE

A travers ces formules nous devinons que le *repliement* ne constitue pas une phase intermédiaire de l'être : il en est la *continuité* découverte, si bien que les travestissements extérieurs se font parfaitement inutiles. Le *Je* de Montaigne se remet plus sûrement en jeu en allant droit au but, sans fard, qu'en feignant la concertation d'un *nous* fuyant et construit de guingois, surtout quand il prétend à la collectivité de la foi ou de la raison abstraite. Le rapport de Montaigne au langage prend encore ici une autre valeur. Il violente les mots et les paroles de la conduite publique, et pour sa part les revigore, à l'écart, hors d'atteinte de la promiscuité : dans l'élaboration marginale de l'écriture. Artisan, il répare l'outrage que les corps constitués de la justice, de l'église, de la philosophie, entre autres, produisent sur le comportement de la langue. Créer signifie, chez Montaigne, inlassablement restituer, rétablir l'équilibre oscillatoire de la vie. Il faudrait prolonger cette perspective en s'interrogeant sur les moralistes français, sur l'égotisme de Stendhal, sur l'aphoristique de Baudelaire, de Reverdy, de René Char. Un tel courant se détache des évidences, des certitudes, des enthousiasmes, des illusions, des professions de foi et des prophétismes qui pèsent sur la littérature française. Kierkegaard associe l'ironiste et le romantique. En ce sens, personne n'est moins « romanesque » que Montaigne. Le seul titre des *Essais* nous en convainc. Essai, du latin « *exagium* », « pesage ». Mettre en balance, *arrepos*, dit l'une des sentences grecques de la Librairie : sans pencher d'un côté.

L'attitude ironique dérègle plutôt l'équilibre et la *conférence*, elle brise l'unité originelle, d'où l'exigence de lui en substituer une autre. La farce et la malice de Montaigne procèdent à rebours : elles ne cessent de remplir d'obstacles et de dommages les prestations solennelles et empesées, les rapportant, du coup, à la simplicité initiale, au jeu de la désinvolture divine, au jeu d'un enfant. Mais la *paidia* n'est pas encore *eironeia*. Montaigne, évoquant Socrate, s'attache à la première, ne perçoit pas le déplacement qui s'effectue.

Il est très-plaisant de voir Socrates, à sa mode, se moquant de Hippias qui luy recite comment il a gaigné, specialement en certaines petites villettes de la Sicile, bonne somme d'argent à regenter, et qu'à Sparte il n'a gaigné pas un sol ; que ce sont gents idiots, qui ne sçavent ny mesurer ny compter, ne font estat ny de grammaire ny de rythme, s'amusant seulement à sçavoir la suite des Roys, establissements et décadences des estat, et tels fatras de comptes. Et au bout de cela Socrates, luy faisant advoüer par le menu l'excellence de leur forme de gouvernement publique, l'heur et vertu de leur vie, luy laisse deviner la conclusion de l'inutilité de ses arts. (*Essais,* I, 25)

Nous pensons fermement que l'ambiguïté de la pensée et de la langue de Montaigne, comme peut-être celle de notre *histoire,* trouve sa nouure à cette époque où la *parole* ouverte à sa plénitude et à la stimulation de ses contrastes, appelée à la vie par le souffle de la divinité, se voit rabattue, par la disparition des configurations divines, à la duplicité du discours humain, dépouillé de l'émerveillement primordial, dont les traces, malgré tout, subsistent sous ce *jeu* d'un nouveau genre que Nietzsche appellera l'*instinct de la connaissance.* A la fin du XVIe siècle, Montaigne, à lui seul, rameute, « à sa mode », et en s'orientant vers le rayonnement d'une divinité chatoyante, les *données* de ce partage dont nous sommes loin d'être quittes.

Kierkegaard, dans *Le Concept d'ironie,* écrit : « Socrate raconte comment il a parcouru le domaine de l'intelligence pour trouver que tout est limité par un océan de connaissance illusoire. » Mais cette lucidité cache une profonde condamnation de la vie. Ou bien nous nous noyons dans l'abîme, ou bien nous nous détournons des illusions de la vie, à la recherche d'une connaissance solide et rassurante. Après Montaigne, Descartes, Pascal.

Montaigne, pourtant, ne se situe nullement, lui qui dispense avec réjouissance, équilibre et nuance, dans l'intransigeance de ce « ou bien, ou bien », de ce *pari.* La vérité existe bien, elle se trouve là où

ses déclinaisons variées semblent l'occulter — comme, d'ailleurs, le
fatras théologique, les imageries et le pédantisme voilent le Dieu des
chrétiens — mais, justement, sans nécessité de les répudier (pas plus
que la superstition), nous nous voyons octroyer la possibilité de nous
frayer un chemin équitable à travers ces *tournures* et *parures.*

Restituer, comme nous le disions, c'est libérer dans l'initial, non
courir, et donc vieillir, d'une nouveauté à l'autre. La réfutation de
l'ironiste, trop attentive à ce qu'elle expose *devant* elle, se garde de
traduire ce qui provient de la sobriété native. Montaigne s'entoure de
la tradition, qu'il fait revivre sans la dévoyer. En revanche, il se défie
des innovations prématurées (nous donnons ici une transcription
moderne) :

Quand il se présente à nous quelque doctrine nouvelle, nous avons grande
occasion de nous en défier, et de considérer qu'avant qu'elle ne fut produite,
sa contraire était en vogue ; et, comme elle a été renversée par celle-ci, il
pourra naître à l'avenir une tierce invention qui choquera de même la
seconde. (*Essais,* II, 12)

Aussi, son scepticisme est-il si peu impie que l'athéisme ne peut en
tirer profit :

L'athéisme étant une proposition comme dénaturée et monstrueuse, difficile
aussi et malaisée d'établir en l'esprit humain, pour insolent et déreglé qu'il
puisse être, s'il s'en est vu assez, par vanité et fierté de concevoir des opinions
non vulgaires et réformatrices du monde, en affecter la profession par contenance, qui, s'ils sont assez fols, ne sont pas assez forts pour l'avoir plantée en
leur conscience pourtant. (*Ibid.*)

A la vérité, la contrée de Montaigne ne se laisse pas saisir autrement qu'à la lumière du miroitement sans mirage de la *parole.* C'est
également, par excellence, le lieu du malentendu. Quand, par exemple, dans l'édification de la poésie, le cœur de l'homme parvient à la
mesure, laquelle concerne aussi la divinité. Entretenir avec le dieu
même une pareille modération, voilà ce dont fut capable Montaigne.
Il semble alors tomber sous le coup de ce que Kierkegaard appelle les
« orientations » du concept d'ironie, à savoir « (...) une figure...
reconnaissable à ce qu'elle exprime le contraire de ce que l'on
pense », qui dit que « le phénomène n'est pas l'essence mais est le
contraire de celle-ci ».

Une liberté du sujet au sens négatif, par rapport à autrui et à moi-
même. Une figure de style qui s'annule elle-même. Comme un piège
où seul l'initié connaît le dessous des cartes. D'où, en quelque sorte,
un déplacement « incognito » qui s'isole lui-même. Dans tous les
cas, ajoute Kierkegaard,

l'ironiste prend plaisir à *paraître* lui-même *séduit* par l'illusion dont l'autre est prisonnier. L'une de ses plus grandes satisfactions consiste à découvrir partout ses points faibles : plus la personne chez qui il les décèle a de qualités, plus il est heureux de pouvoir la duper, de l'avoir entièrement à sa discrétion sans qu'elle-même n'en sache rien.

Kierkegaard en conclut que tous ces exemples « font surtout ressortir en l'ironie une conception du monde qui vise à mystifier l'entourage, non pas tant pour passer elle-même inaperçue que pour *mener les autres à se démasquer* ». Mais l'ironiste, lui aussi, donne le change à son entourage :

Dans l'ironie le sujet bat constamment en retraite, il conteste la réalité de chaque phénomène afin de trouver lui-même le salut, c'est-à-dire pour rester vis-à-vis de tout dans une indépendance négative.

Il est, bien sûr, inutile de revenir en arrière. Rien de ce que nous avons découvert chez Montaigne ne coïncide avec ces déterminations, car elles relèvent de procédés étrangers à sa démarche et à son approche du langage.

Plus redoutables sont les remarques suivantes, toujours tirées du *Concept d'ironie* (« L'ironie après Fichte »). L'ironie, nous dit Kierkegaard,

a confondu le je éternel et le je temporel. Mais le jeu éternel n'a pas de passé et, par conséquent, le je temporel n'en a pas non plus. Or, dans la mesure où l'ironie accepte par obligeance pure un passé, il faut qu'il soit d'*une nature telle* que l'ironie puisse le dominer en toute liberté et mener son jeu avec lui. C'est pourquoi la partie mythique de l'histoire, légendes, contes, trouve de préférence grâce à ses yeux. En revanche, l'histoire proprement dite, au sein de laquelle l'individu vrai a sa liberté positive parce qu'il y possède ses prémices, devait être écartée.

De même que l'ironie, déniant sa validité à l'histoire universelle, savoure son plaisir de critique

dans une infinie liberté, de même elle jouit, en pratique, d'une semblable liberté toute divine qui, ignorant liens et entraves, dans un débordement de pétulance, joue et prend ses ébats comme un léviathan dans la mer.

Cette liberté, alliée à l'ironie, exige que l'on vive *poétiquement* :

L'ironiste est sur la terre ; il fait tout ce qui lui plaît. Néanmoins, on ne peut lui reprocher d'avoir tant de peine à devenir quelque chose : devant un aussi vaste champ de possibilités, il n'est pas facile de choisir. Pour varier les plaisirs, l'ironiste pense qu'il est juste de laisser décider le *destin et le hasard.*

Pour Kierkegaard, une pareille vie perd toute continuité. Elle n'est plus qu'une suite d'états affectifs, et par suite de la duplicité de son existence, elle manque précisément d'existence. En quoi, elle demeure parfaitement négative.

Nous pourrions maintenant prendre aisément argument de cette topologie pour taxer Montaigne d'*ironie*, tant nous y rencontrons de thèmes connus. Ce serait encore une erreur. En effet, la logique de ce cheminement reste, dans l'esprit de Kierkegaard, et par suite, chez son ironiste, *réactive*. Elle désigne alors sa propre insuffisance. Que la vie poétique, dans les temps modernes, vienne à signifier un tel manque, c'est possible. Mais elle n'est pas le seul domaine touché. Et le roman de G.K. Chesterton, *Le Nommé Jeudi (The Man who was Thursday,* 1908), fait signe, par la catégorie supérieure de l'humour, vers une étrange absence au cœur même du religieux. L'ironie, comme l'humour, envahissent tous les secteurs de l'existence, et plus particulièrement le mode privilégié du langage qu'est la poésie, quand la *défection du dieu* est ressentie comme un appauvrissement, voire comme une mutilation. C'est Pascal. Mais quand elle en est la vérité la plus singulière qu'il faut comme « saisir au vol » à travers ses inestimables, incontournables et incessantes métamorphoses, tout est digne d'elle, et ce, parmi les facettes de son langage joyeusement, gaiement incertain. C'est Montaigne.

L'ART DE CONFÉRER

Par leur unité profonde, les *Essais* se suffisent à eux-mêmes, équilibre qui se compose à partir de ses contraires, au cœur d'un consentement qui recueille jusqu'à ce qui lui demeure le plus opposé. Aucune résolution, pas plus négative que positive, ne s'impose. *Tout est dit.* Les tensions du langage rendent présentes, mais tout autrement que selon leur prétendue réalité, les choses qui se montrent toujours et d'abord poétiquement. Pour Montaigne s'engager dans le jeu imprévisible, impondérable de la parole, c'est être pleinement lui-même : *sa manière d'être.* Certes, il marque par son approche un *tournant*, après lequel le déchiffrement de la langue va revêtir des indulgences idéologiques qui en fausseront la puissance ; mais il dirige également notre regard vers une antériorité dont il n'appréhende pas lui-même toute la portée, qui, sans ironie aucune, mais avec l'allégresse ou la peine nous requérant, irrigue notre cœur. Ce virage incertain, au seuil des temps modernes, renforce l'excellence de Montaigne, car il nous renvoie à deux autres périodes de crises décisives : la fin de l'esprit romain et les débuts du christianisme ; les débuts de la philosophie grecque et la fin de la Poésie tragique. A sa manière, comme ligne de faîte, Montaigne ne conduit nulle part. Il n'est ni sceptique, ni stoïcien, ni chrétien, encore moins ironiste, mais les *Essais* rassemblent ou font germer à la fois tous ces éléments. Ils se convertissent, mûrissent ou se dissolvent dans le terreau de la langue. *Il nous faut* interpréter, dans cet unique horizon, la pensée politique, la sagesse, la tolérance religieuse, l'art, le caractère de Montaigne. Toute autre démarche resterait partielle et serait vouée à l'échec.

Quant à l'ironie... Etymologiquement le terme désigne une façon de dire et se rapporte également au Logos.

L'*art de conférer* avec soi et avec sa langue consiste à apprendre, sans disputes verbales, et à exercer. Avec soi, comme avec autrui, et mutuellement :

Les Atheniens, et encore les Romains, conservoient en grand honneur cet exercice en leurs Academies. De nostre temps, les Italiens en retiennent quelques vestiges, à leur grand profict, comme il se voit par la comparaison de nos entendemens aux leurs. (*L'Art de conférer*, p. 137)

Voilà pourquoi consentirait-il plutôt « de perdre la veuë que l'ouir ou le parler. » (*Ibid.*)

Mais si l'esprit se fortifie par la communication avec les esprits vigoureux, le commerce avec les esprits « bas et maladifs » l'abâtardit, et Montaigne écrit les *Essais,* car le livre évite de supporter la sottise.

La référence aux Anciens est significative. Là encore, le caractère transitoire de l'œuvre de Montaigne nous apparaît, mais dans la mesure essentielle et non chronologique de la langue. Les auteurs grecs et latins témoignent de la *cohérence* dans laquelle ils se tiennent vis-à-vis de la parole. Ils savent comment un monde apparaît et s'estompe à partir des contrariétés du langage tout en demeurant dans la sphère de la vérité. De plus, la pensée antique éprouve la *présence* dans la célébration du langage, jointe à la fête de l'âme, et des *joutes* qu'elle inaugure, sans injonctions « étrangères ». Montaigne dit et ressent sa parenté avec la magie d'un tel « dialogue », qui, toutefois, le déroute. Car ce qui est propre à l'antiquité, ne l'est plus dans l'ordre de la « création » biblique qui hante par la suite la pensée, et où se fait jour la nécessité d'un support intermédiaire, et encore moins après des siècles de mutations politiques, religieuses, morales. Aussi se met-il en quête d'une convergence difficile au lieu même de l'entrelacement des langues :

Au demeurant, mon langage n'a rien de facile et poly : il est aspre et desdaigneux, ayant ses dispositions libres et desreglées ; et me plaist ainsi, si non par mon jugement, par mon inclination. (*Essais*, II, 17)

Il précise :

Mon langage françois est alteré, et en la prononciation et ailleurs, par la barbarie de mon creu ; je ne vis jamais homme des contrées de deçà qui ne sentit bien evidemment son ramage et qui ne blessast les oreilles pures françoises. Si n'est-ce pas pour estre fort entendu en mon Perigordin, car je n'en ay non plus d'usage que de l'Alemand ; et ne m'en chaut guère. C'est un langage, comme sont autour de moy, d'une bande et d'autre, le Poitevin, Xaintongeois, Angoumoisin, Lymosin, Auvergnat : brode, trainant, esfoiré. Il y a bien au-dessus de nous, vers les montaignes, un Gascon que je treuve singulièrement beau, sec, bref, signifiant, et à la verité un langage masle et militaire plus qu'autre que j'entende ; autant nerveux, puissant et pertinant, comme le François est gratieus, delicat et abondant.

Quant au Latin, qui m'a esté donné pour maternel, j'ay perdu par desaccoustumance la promptitude de m'en pouvoir servir à parler : ouy, et à escrire, en quoy autrefois je me faisoy appeler maistre Jean. Voyla combien peu je vaux de ce costé là. (*Ibid.*)

Pour être soi-même, au monde, et en retour du voyage, Montaigne chemine à travers les différents contours des langues et trace la sienne. Mais elle ne peut l'appeler, et, en écho, il ne lui répondra que dans la dimension et la résonance poétique retrouvées. L'ultime citation des *Essais* dévoile, en rendant hommage à la langue maternelle qui a été transmuée, ce vœu. Elle approprie Montaigne à l'épreuve et à l'apprentissage de sa vie entière : *le langage :*

> *Frui paratis et valido mihi,*
> *Latoe, dones, et, precor, integra*
> *Cum mente, nec turpem senectam*
> *Degere, nec cythara carentem.*

Ces vers d'Horace (*Odes*, I, XXXI, 17-20) se recommandent du dieu protecteur, au son magique du chant :

> Permets que je jouisse, ô Latonien,
> De mes biens et d'un corps vigoureux, de facultés
> Saines, et que j'obtienne, avec bonne vieillesse,
> Le pouvoir de toucher encore ma lyre !

CLAUDE GALLEY

MICHEL SALVAT

Guide grammatical, lexical et stylistique

Résumé

On tente d'abord de lever les obstacles que la grammaire de Montaigne oppose à une lecture d'aujourd'hui. Un classement des principales difficultés selon leur origine et leur fonction permet d'aborder le texte — ou d'y revenir — avec confiance, et peut-être même une certaine gourmandise.

Le recensement des thèmes et la comparaison de leur fréquences respectives d'apparition met en évidence les prédilections de l'écrivain : homme du mouvement, sensible à la présence, au fonctionnement, aux parties du corps, Montaigne garde à l'esprit l'image de la balance, symbole physique de l'équilibre ; dans sa manière d'accorder aux petites gens, voire aux animaux, une attention dont les autorités de toute espèce ne lui semblent pas dignes, il est porteur d'une forme de subversion universelle dont l'ironie n'est pas la moindre manifestation.

On examine enfin, en s'appuyant sur des exemples, les traits et les procédés du style de Montaigne, dont les qualités essentielles sont la force, la couleur et la souplesse.

Claude Galley est professeur de lettres au Lycée Jean Perrin de Marseille. Spécialiste de langue et littérature provençales et françaises du Moyen Age, il est titulaire d'un doctorat de 3e cycle et auteur de plusieurs articles spécialisés.

Michel Salvat, agrégé de lettres, est assistant de grammaire et philologie à l'Ecole normale supérieure de Saint-Cloud. Spécialiste de la littérature scientifique du Moyen Age et de la Renaissance, il a publié de nombreuses études, notamment sur ce sujet.

I. Points de grammaire

Au XVIᵉ siècle, le français est en pleine évolution : la vieille langue, privée de ses déclinaisons, et dont la ligne mélodique et les terminaisons verbales se transforment, est en train de se rééquilibrer. De plus, pour des raisons évidentes, elle subit les assauts du latin, de l'italien (le pétrarquisme), du grec et même des dialectes et notoirement de la langue d'oc ; depuis que l'ordonnance de Villers-Cotterêts (1539) a déconsidéré les dialectes, les écrivains de province enrichissent la langue française de tours gallo-romans propres à leur langue vernaculaire. Or les grammaires normatives sont souvent contradictoires et se soucient fort peu de syntaxe. Chaque écrivain s'exprime donc dans un langage qui reflète les diverses influences qu'il a subies. Montaigne a d'abord parlé le latin, puis le rouergat, puis le français. Nous trouverons des latinismes et des tournures plus archaïques que chez les écrivains de la Pléiade, qu'il n'a pas suivis. C'est ainsi qu'il ignore complètement l'usage actuel de *dont* qu'il remplace par *duquel* ou *dequoy :* « un avertissement *duquel* je tire bon usage » (p. 151) ; « une façon de débattre *duquoy* j'ay à rougir après » (p. 140).

Il ignore aussi l'usage de *dans ;* on voit *en, és ; aux :* « en la connaissance divine » (p. 142) ; « és lettres des Princes » (p. 154) ; « c'est qu'*aux* disputes et conférences » (p. 165).

LATINISMES OU HELLÉNISMES GÊNANTS

● **Subordonnées infinitives.** — *Modèles latin :* « Credo Deum esse sanctum ». *Exemple :* « ... cet ancien joueur de lyre que Pausanias récite avoir accoustumé contraindre ses disciples d'aller ouyr... » (p. 136) ; *français moderne :* « ... dont Pausanias dit qu'il avait l'habitude de contraindre ses disciples à aller écouter... ».

● **Infinitive sujet.** — *Exemple :* « Ny ne me semble responce à propos à celuy qui m'advertit de ma faute, dire qu'elle est aussi en luy » (p. 144) ; *français moderne :* « Dire que la faute est aussi en lui ne me semble pas une réponse opportune à celui qui me réprimande. » L'inversion du sujet sans ajout d'un *de* est incorrecte aujourd'hui.

• **Infinitif substantivé avec article et complément en fonction de sujet**. — C'est un hellénisme. *Exemple :* « Le n'oser parler rondement de soy a quelque faute de cœur » ; *français moderne :* « Le fait de n'oser parler franchement de soi révèle un certain manque de courage. »

• **Complétive par *ce*** (parfois *dequoy*). — *Modèle latin :* complétive par *quod*. *Exemple :* « Ce que Socrate recueilloit, tousjours riant, les contradictions qu'on faisoit à son discours, on pourroit dire que sa force en estoit cause » (p. 139) ; *français moderne :* « Le fait que Socrate accueillait toujours en riant les objections... ».

ARCHAÏSMES GÊNANTS

• ***Morphologie ancienne***. — Il en subsiste des traces, telles *treuve* pour *trouve, apprinsent* pour *apprissent, seure* pour *sûre*, etc. Noter de même : « j'oy » (p. 152), du latin *audio,* pour « j'entends » (à distinguer de « j'entends » signifiant chez Montaigne « je comprends ») ; « qu'on peut juger » (p. 147), pour « qu'on pût juger » (c.-à-d. « afin qu'on pût juger »).

• **Syntaxe**. — Nous passons sur tout ce que ne gêne pas trop la lecture (syntaxe de l'article, etc.).

— *Valeur pleine de* un : « et me sont opinions unes » (p. 140) pour « les opinions ont pour moi la même valeur ».

— *Valeur pleine de* mien : « je veux accuser du mien » (p. 138) pour « je condamne en moi » (= *ce qui est mien).*

— *Valeur de* plus : dans « ... ay trouvé que ce sont, pour le plus, des hommes comme les autres » (p. 146), « pour le plus » signifie « pour le reste » ; dans « me deffie plus de la suffisance quand je la vois accompagnée... » (p.150), *plus* a valeur superlative : « le plus ».

— *Syntaxe de la proposition* (verbe, sujet, complément)

Absence de sujet exprimé : « tous les jours m'amuse à lire... » (p. 143) pour « tous les jours je m'amuse » ; « qui m'instruis mieux » (p. 136) pour « moi qui m'instruis mieux » (noter le *s* du verbe !).

Sujet inversé : « autant peut faire le sot celuy qui dit vrai » (p. 142) pour « celui qui dit vrai peut aussi agir en sot » ; « et on crainct ses amis mesme » (p. 156) pour « ses amis eux-mêmes ont craint » ; plus difficile : « A cette sorte de discipline regardoit le vieux Caton, quand il dict que les sages ont plus à apprendre des fols que les fols des sages ; et cet ancien joueur de lyre... » (p. 136) pour « Caton et cet ancien joueur de lyre regardaient... », c.-à-d. « tenaient compte de... » (le deuxième sujet est éloigné, et le verbe est au singulier : une tournure très latine).

Voix et régimes particuliers des verbes : comme en ancien français et en provençal moderne, le régime des verbes est plus ou moins libre. On trouve par exemple la construction « profiter quelque chose à quelqu'un » dans « ce que les honnestes hommes profitent au public, (...) je le profiteray... » (p. 136). De même, le prénom réciproque est absent dans « s'ils préviennent l'un l'autre » (p. 140), au sens de « s'ils se devancent » (en se coupant la parole), etc.

Gérondif dont l'agent est différent du sujet du verbe à un mode personnel : « Publiant et accusant mes imperfections, quelqu'un apprendra de les craindre » (p. 136), pour : « Si moi je déclare mes imperfections, certains apprendront à les éviter pour eux-mêmes. »

Réfléchi pluriel = on + verbe : « Les grimaces de ces gens-là se considèrent... » (p. 144) pour : « On considère les grimaces de ces gens-là... »

Répétition d'un complément (pléonasme expressif) : « ... et qui ne s'y laisse aller jusques là ».

Non-reprise des prépositions, articles, adverbes et pronoms après et, ny, ou (provençalismes) : « Mon imagination se contredit elle mesme si souvent et condamne » (p. 139) pour « ... et se condamne » ; « les contradictions des jugemens ne m'offensent, ny m'alterent » (p. 138).

— Syntaxe de la phrase

Coordination « anarchique » génératrice de désordre : « On s'aperçoit ordinairement aux actions du monde que la fortune, pour nous apprendre combien elle peut en toutes choses, et qui prent plaisir à rabatre nostre presomption, n'aiant peu faire les malhabiles sages, elle les fait heureux, à l'envy de la vertu. » (p. 148) Rétablir : « On s'aperçoit... que la destinée qui prend plaisir à rabattre notre présomption, n'ayant pu faire que les malhabiles soient sages, les fait « chanceux », pour nous apprendre combien elle peut en toutes choses. »

ains = mais au contraire : « Le dogme d'Hegesias, qu'il ne faut ny haïr ny accuser, ains instruire. » (p. 152) *si... bien : « S'ils se detraquent, c'est en incivilité ; si faisons nous bien » (p. 140) ; comprendre : « S'ils « quittent le chemin », c'est pour s'injurier ; nous le faisons bien, nous. » (Les traductions de Villey et de Micha qui excluent toute idée d'opposition ne tiennent pas compte de la valeur concessive de *bien* attestée déjà chez Montaigne.)

*si que = *Si bien que* : « Si que la meilleure... »

*qui = *si l'on* : « Il se doibt reverer à credit et en bloc, qui en veut nourrir la reputation » (p. 148) ; comprendre « ... si l'on veut renforcer sa réputation ». Voir *Le Cheval et le Loup* de La Fontaine : « Bonne chasse, dit-il, qui l'aurait à son croc. »

*que *polyvalent* : *(a)* que = *du fait que,* dans : « que ses narrations soient naifves et droictes il se pourroit argumenter... » (p. 156), c.-à-d. « du fait que ces narrations *sont* naïves... » ; *(b)* que = *afin que,* dans « qui pourroit trouver moien qu'on en peut juger par justice (...), establiroit... » (p. 147), c.-à-d. « celui qui pourrait trouver un moyen afin qu'on en pût (puisse)... » ; *(c)* que = *parce que,* dans : « Et me semble le rebours de ce qu'il luy semble à luy, que, ayant specialement à suivre les vies des Empereurs de son temps, (...) il avoit une matière plus forte et attirante à discourir » (p. 155), c.-à-d. : « Et il me semble que c'est le contraire de ce qu'il pense, parce que, ayant spécialement à suivre... » (remarquer « discourir » utilisé transitivement) ; *(d)* que = *avant que,* dans : « nous n'osons pourtant les en louer que n'ayons prins instruction de quelque sçavant... » (p. 155), c.-à-d. : « avant que nous n'ayons consulté... » ou « avant d'avoir consulté... »

LA LANGUE D'OC

Montaigne a soigneusement expurgé son texte des mots de langue d'oc, mais il a laissé un certain nombre d'expressions que les initiés ne manqueront pas d'identifier comme faisant partie du legs qu'elle a fait au français : « *de* rebours », « *d'un biais* plus lache », « qui *plaint* son advertissement », « fadeze », sans compter nombre d'archaïsmes conservés dans le midi de la France et où il s'est complu.

Montaigne s'est beaucoup diverti en écrivant ; au lecteur de tirer un égal plaisir de sa lecture. Seule la pratique d'un « auteur original » permet d'en assimiler le mode d'expression.

C.G.

II. Champs lexicaux
Le vocabulaire des images

Dans son avis au lecteur, placé au début des *Essais,* Montaigne l'avertit :

Que si j'eusse esté entre ces nations qu'on dict vivre encore sous la douce liberté des premieres loix de nature, je t'asseure que je m'y fusse très-volontiers peint tout entier, et tout nud. Ainsi, lecteur, je suis moy-mesmes la matière de mon livre.

Nous allons pousser l'outrecuidance jusqu'à essayer, par un procédé presque mécanique, d'en savoir encore plus sur lui qu'il a bien voulu en dire.

La simple étude de l'abondance et de la récurrence des mots qui servent à désigner tel type d'objet, d'activité, ou de concept sans trop tenir compte du contexte et des raisons précises de leur apparition révèle le caractère, l'univers mental, affectif, et la vie quotidienne d'un écrivain, aussi sûrement qu'une radiographie dévoile la forme particulière et le fonctionnement de nos organes internes.

Comme il nous faut être bref et efficace nous avons choisi de n'étudier que le vocabulaire des comparaisons et des images. Une partie du vocabulaire est imposée par le sujet même de l'essai étudié : elle est donc sans intérêt ; par contre, quand Montaigne choisit de représenter l'abstrait par le concret ou une chose par une autre, il puise directement dans un univers de référence qui lui est propre et qui nous révèle sa vie privée, ses affections et son échelle de valeurs.

Un recensement des thèmes qui apparaissent dans *L'Art de conférer* donne les résultats suivants :

1. mouvement, agitation, gestes   95 mots
       dont a. agitation, actes divers   47
             b. guerre, escrime, tir à l'arc   30
             c. gestes faisant intervenir la vigueur
                  ou la sensibilité   17
2. allusions au corps humain   34 mots
3. phénomènes physiques, poids, balance   17 mots
4. monde animal   17 mots
5. métiers, activités artisanales   16 mots
6. petites gens ou peuples, objets de mépris ou de dérision 14 mots
7. dignités, autorités et leurs attributs   10 mots

8. chasse, agriculture, équitation   15 mots
9. arts, jeux   8 mots
10. scatologie, nature   6 mots

Pour apprécier l'originalité de Montaigne tant dans son mode de pensée que dans son expression, il faudrait évidemment pouvoir comparer avec la moyenne de la totalité des *Essais,* et surtout avec les données que fournirait un autre auteur traitant du même sujet. Mais les chiffres par eux-mêmes sont éloquents. La Bruyère, dans le livre des *Caractères* intitulé : « De la société et de la conversation », fait vivre ses personnages, mais, à part quelques expressions vraiment imagées comme : « l'on marche sur les mauvais plaisants, et il en pleut par tout pays de cette sorte d'insectes », ou « tonnerre... fracas », cet auteur emploie généralement le mot propre. En comparaison, ce chapitre de Montaigne évoque une noce flamande de Bruegel. Le style de Montaigne est essentiellement imagé ; comme chacun a le libre choix de ses images, et singulièrement Montaigne qui proclame bien haut : « Moi qui suis roy en la matière que je traite » ; se souciant peu des esprits au « goût délicat » et des convenances communes puisqu'il a les siennes propres, ces images révèlent globalement ses penchants ou ses répulsions.

« La bouche parle de l'abondance du cœur », et Montaigne porte un grand intérêt : à la *mobilité,* au *corps de l'homme ;* il aime *l'équilibre* et la *pondération ;* il s'intéresse aux « *petites gens* » et aux *êtres* et aux *choses* qui l'entourent ; le spectacle de *l'oppression* l'attriste. Mais pour mieux discerner la signification du choix des images, il faut voir de plus près ce qu'elles représentent, et examiner les liens qui les unissent.

1. Le mouvement

Thibaudet (*11*, p. 598),[*] comparant le style de Montaigne à celui d'Alphonse Daudet, écrit :

Les esprits d'une langue parlée, celle d'oc, sa sève, son mordant, sa belle humeur, ses gestes même, on les sent qui circulent dans cette langue d'oïl. (...) Le style de Daudet comme le style de Montaigne est un style moteur, un style gesticulé.

Nous trouvons 66 verbes désignant le mouvement, et 18 noms :
— certains désignent un déplacement horizontal d'avant en arrière ou dans toutes les directions : *fuite, suite, reculé sur soy, nous amen-*

---

[*] Les chiffres en italique renvoient aux notes bibliographiques, à la fin de cette étude.

der qu'à reculons, produire, sa course, corre d'un fil, je les laisse courir à l'avanture, l'un va à l'orient l'autre à l'occident, etc.

— d'autres désignent un mouvement vertical : *tombe, renverser contre moy, succombe à la charge, se couchent, courber et fléchir, passer par dessus,* etc.

— d'autres envisagent un mouvement par rapport à un chemin tracé : *m'y arreste, contournable, se perdre en chemin.*

Le spectacle de la vaine agitation des sots et des pédants *l'amuse* autant que les efforts louables des sages. Sa réprobation ne l'empêche pas de trouver un plaisir certain à imaginer et peindre leur ébats. Cette jouissance goguenarde redouble quand ils sont victimes de « l'ironie du sort » et qu'« ils s'enferrent à leurs propres armes » ; *la forme réfléchie* signale fréquemment ce phénomène : *se ronger, se remue, se perdre en chemin, j'aime à les laisser (s)'embourber et (s)'empestrer, ont peur de s'échauder, se découvre, enferrons de nos armes, nous nous enferrons, se battre, s'ébattant.*

Il apprécie par contre *l'escrime et la lutte,* pourvu qu'elles soient menées avec ordre, selon les règles et surtout sans esprit de domination : *rude jouteur, frappe, se découvre, assiégé, presse du combat, escrime, combattre à escient ou se retirer arrière...* Mais quels sarcasmes contre les vains lutteurs : *armée de présumption, belles armes mais elles ne sont pas emmanchées* — et contre les interlocuteurs animés d'un esprit tyrannique : *suivre un pouignart à la main cette pointe philosophique.*

Dix-sept verbes d'action faisant intervenir directement la *vigueur* ou la *sensibilité* corporelles sont pris en général en bonne part, ils représentent une manière saine et efficace de rechercher la vérité : *empoigner, manier, maniant (maniement), fouetter, tâter, festoye et caresse, digérer.* Seuls *mener par la main* et *embrasser* (p. 149), qui figurent une attitude autoritaire et contraignante, ont une valeur péjorative.

2. Le corps humain

Les sens sont nos propres et premiers juges, qui n'aperçoivent les choses que par les accidents externes (...) C'est toujours à l'homme que nous avons affaire, duquel la condition est merveilleusement corporelle. (p. 154)

Non seulement Montaigne pense avec ses mains et son estomac, mais encore *il donne à toute chose l'apparence du corps de l'homme.* La force et la faiblesse de l'esprit sont comparées à celles du corps : *fortifier l'ouy, durcir, morsures et esgratigneures sanglantes, sou-*

plesse, avoir bon nez, vigueur (deux fois), *force, forte nature* — auxquels s'opposent : *maladie* (haine excessive de la sottise), *faible des reins, suffoque* (l'âme), *exinanition* (l'âme), *faiblesse des épaules.* Les entités abstraites empruntent souvent à l'homme son corps, ses membres, sa chair : *je caresse la vérité* (comme une femme), *percer nos poitrines* (nos caractères), *Tacite* (son œuvre) *est plus charnu, tête* (opinion), *visages* (d'une affaire).

3. La métaphore essentielle de la balance

Montaigne est mouvement mais aussi *équilibre, « pondération ».* Conformément à la plus stricte étymologie, pour lui « penser » c'est d'abord « peser » (latin « *pensare* » dérivé de « *pendo* », « *pensum* » que nous retrouvons ici : « pendre »). Pour comprendre, Montaigne soupèse et pèse toute chose : *où l'un plat est vuide* (allusion au scepticisme), *elles emportent seulement l'inanité* (pèsent plus lourd), *les poyse, poiser, faix* (fardeau), *charge* (deux fois), *grand poix, ils fondent dessous, mal estuyé en poix, contrepoiser le soubçon à l'évidence, pend du bon parti, la pente qu'il a pris, incliner d'un seul air.*

4. Le monde animal ; les petites gens ; les autorités

Ainsi Montaigne pèse toute chose, et il lui semble que les poids habituels sont faussés et les balances infidèles : les animaux et tout particulièrement l'âne sont pris pour des parangons de « bêtise » (trois fois) certes, mais ils valent toujours plus que ceux que les hommes choisissent pour chefs (p. 150). Et il est lui-même animal à ses heures : *nous y tendons les griffes, de quoi je secoue les oreilles, je laisse passer, baissant joyeusement les oreilles.*

Il en va de même pour les gens du peuple, les femmes et les enfants : *berger, garçon de boutique, querelle d'Alemaigne, (les barbares* !), *caquet des harengeres, taverne, les femmes et ignorants, homme de mesnage, bons artisans, enfant, ignorance populaire, femmes et enfants insensés...* Tous sont pris comme des exemples de stupidité mais qu'ils soient bergers ou « enfants de boutique », ils savent tenir l'ordre d'une discussion, le caquet d'une harengère est plus net que celui d'un « docteur », et « les femmes, les enfants et les insensés » ont su régner mieux que les princes. Montaigne se met d'ailleurs de plain-pied avec eux : « les femmes et ignorants, comme nous sommes ».

De ces rapprochements résulte une *subversion universelle* qui ne manque pas de saveur, car elle atteint le fonctionnement même du langage, donnant à son usage, même le plus innocent, une significative et essentielle tonalité ironique ; Le mot « Roy » chez Montaigne (« ... qui canonizent le Roy qu'ils ont faict d'entre eux », p. 150), sonne comme le mot « héros » chez Voltaire ; il faut le prendre « de rebours ». Les plus hauts personnages : *Princes, capitaine, chef, Maître és arts* avec leurs attributs : *sceptre, cheines, chapperons* deviennent des *fols* avec leurs *marottes*.

5. Métiers ; chasse, agriculture, équitation ; Arts et jeux ; nature et scatologie

Mis à part l'équitation qui curieusement fournit des métaphores mélioratives quand il s'agit d'actions stimulantes : *presse les flancs, me pique à gauche et à dextre,* et péjoratives quand il s'agit d'actions autoritaires et inhibitrices : *tient si haut la main, à la main d'un maître si impétueux,* l'usage métaphorique des mots désignant les divers objets et activités appartenant à ces catégories témoigne de l'intérêt spontané que ce gentilhomme de province porte à l'univers qui l'entoure et surtout consacre l'*irruption brutale du concret* dans ce qu'un linguiste contemporain a appelé le *surlangage* (discours sur le langage). Cette irruption va jusqu'à l'usage de la scatologie en latin : « *Stercus cuique suum bene olet* » (p. 144), ou en français : « Si nous avions bon nez notre ordure... » (= chacun aime l'odeur de son fumier) ; elle tisse la trame du *discours ironique essentiel* de Montaigne — « essentiel » étant pris au sens socratique du terme.

C.G.

III. Notes sur le style de Montaigne

Par son style extrêmement particulier, riche et varié, Montaigne serait presque un « artiste » s'il n'y avait pas sa volonté de ne pas tomber dans l'affectation. Nous examinerons d'abord les idées de Montaigne sur le style en général et sur son propre style, et dans un second temps, les caractères de ce style : sa force, sa couleur, sa souplesse (v. Micha, 9) .

L'idéal de style que Montaigne se propose, c'est celui des grands poètes anciens, qui le « remplit », le satisfait pleinement. Il admire leurs belles expressions signes d'un « bien penser ». Il est particulièrement sensible à trois qualités : la *force* (leur éloquence n'est pas

« molle », mais « nerveuse et solide ») ; la *densité ;* l'*égalité* (la constance dans cette force, cette plénitude : tout y est « épigramme », dit-il).

Montaigne parle de son style avec clairvoyance : on lit dans le chapitre XXVI du livre I des *Essais* (« De l'institution des enfans ») les qualités maîtresses qu'il se reconnaît implicitement, en tête desquelles viennent le naturel et la simplicité : un parler qui soit pleinement adéquat à la matière que l'on traite, un parler « *simple* et naïf ». Montaigne cherche donc à correspondre par son style à cet idéal de force, de densité nerveuse qui est le sien. Il insiste aussi sur cette qualité qu'il juge essentielle : le *naturel* (« C'est pusillanimité que de chercher des expressions nouvelles », « Puissé-je ne me servir que des mots qui servent aux halles de Paris »). Lorsqu'au chapitre V du livre III il passe en revue les reproches que l'on a fait à son style, ou qu'il s'est fait, il ne cherchera à corriger que ce qu'il juge des fautes d'inadvertance, pas de « coutume ». Il a d'ailleurs le plus souvent tendance à ajouter plutôt qu'à corriger. Ses idées, il dit les exprimer « crues et simples, d'une production hardie et forte, mais un peu trouble et imparfaite » (livre II, fin du ch. XVII).

Cette recherche du naturel est-elle vraiment compatible avec le naturel ? ne va-t-elle pas entraîner, comme il le craint, l'affectation ? « Au demeurant, mon langage n'a rien de facile et poly : il est aspre et desdaigneux, ayant ses dispositions libres et desreglées ; et me plaist ainsi, si non par mon jugement, par mon inclination. *Mais je sens bien que par fois je m'y laisse trop aller, et qu'à force de vouloir eviter l'art et l'affectation, j'y retombe d'une autre part* ». (II, ch. XVII ; c'est moi qui souligne). Ainsi, Montaigne, bien avant La Bruyère, a senti la vérité de ce que celui-ci exprimera en disant : « Combien d'art pour entrer dans la Nature ! »

Nous avons donc ici un auteur qui possède un idéal personnel du style et qui s'est interrogé à la fois sur ses qualités et ses défauts. Nous allons voir rapidement, en nous référant au chapitre VII du livre III, quels sont les caractères essentiels du style de Montaigne, caractères d'ailleurs valables pour l'ensemble des *Essais.*

1. La force

Elle tient avant tout à une figure de style que Montaigne ne se lasse pas d'employer, la marque la plus visible de l'ancienne rhétorique : l'*antithèse.* C'était le principal outil de Sénèque, que Montaigne admire beaucoup, dans ses idées comme dans son style (*cf.* fin du chapitre). De cette prédilection témoignent de nombreux exemples tels que : « Autant peut faire le sot celuy qui dict *vray* que celuy qui dict *faux,* car nous sommes sur la *maniere,* non sur la *matiere* du dire. » (p. 142)

Montaigne aime à souligner l'antithèse en y adjoignant un autre procédé de style, souvent un parallélisme syntaxique très étudié, parfois même un peu affecté comme le montre l'exemple ci-dessus, ou encore : « Ce que les honnestes hommes profitent au public en se faisant imiter, je le profiteray à l'avanture à me faire eviter. » (p. 136)

Parfois encore, il renforce l'antithèse par la *redondance,* figure de style qui consiste à employer deux mots quasi synonymes pour renforcer une idée, très employée dans la langue française depuis le Moyen Age : « Tous les jours, la sotte contenance d'un autre *m'advertit et m'advise* » (p. 137) ; « le continuel *commerce et frequentation* » (p. 137), etc. Il utilise, dans le même but, les jeux de sonorités, souvent conjointement avec la redondance : répétition d'un même mot, choix de mots ayant sensiblement la même longueur et une ressemblance certaine, figures fréquentes chez Sénèque et qui a séduit tous nos écrivains du XVIe siècle, de Rabelais à saint François de Sales : « m'instruis mieux... par *fuite* que par *suite* » (p. 136). Montaigne touche souvent au *jeu de mots* pur et simple : « Il est laid de se battre en s'esbatant. » (p. 156)

Un dernier procédé enfin est utilisé pour renforcer l'antithèse : l'entassement d'antithèses les unes sur les autres (*cf.* tout le début de *L'Art de conférer*).

Si le besoin d'insister amène constamment Montaigne à user de l'antithèse, ce n'est pas là le seul procédé qui donne de la force à son style. Il emploie aussi l'*énumération,* qui est le contraire de l'antithèse dans le domaine rhétorique. Parfois simple, l'énumération est souvent alliée à la gradation : ainsi, l'effet peu agréable qu'elle produirait disparaît dans l'impression par la justesse du choix du vocabulaire : « C'estoit un *grand* personnage, *droicturier* et *courageux* » (p. 157) ; « Je me presente debout et couché, le devant et le derriere, à droite et à gauche, et en tous mes naturels plis. » (p. 158) La gradation atteint ici le maximum de rigueur.

M. affectionne encore les effets de *répétition,* qui, pour être frappants, ne sont pas toujours très heureux ni précisément naturels — là aussi, il imite Sénèque et les Latins — (*cf.* citation ci-dessus : la manière/la matière, suite/fuite, etc., et encore : « Ce que j'adore moy-mesmes aus Roys, c'est la foule de leurs adorateurs », p. 149). Cette répétition alliée à la reprise de sons très voisins qui confinent au jeu d'esprit date pour moitié des occurrences d'après 1588 : elles ont donc été ajoutées par Montaigne.

2. La couleur

La difficulté majeure qui se pose à tout écrivain, mais en particulier à tout moraliste, qui écrit de mouvements internes, est de ne pas se confiner dans un style pur, austère, abstrait (comme ce fut notamment le cas de Calvin). Montaigne a su éviter cette abstraction. Son style est un des plus colorés de notre littérature morale.

Cette « couleur », il la doit avant tout à l'usage des *métaphores*. Montaigne se reproche d'ailleurs cette trop grande abondance en « figures », mais nous y trouvons au contraire la saveur incomparable de son écriture. Elles sont en effet très nombreuses. Il les emprunte à tous les domaines de la vie quotidienne, au combat, à la végétation qui l'entoure, à l'architecture, à l'équitation, etc., c'est-à-dire au cadre de sa vie la plus familière. Ces métaphores, ces images apportent aux *Essais* leur saveur de réalisme, leur épaisseur de « chose concrète », certains disent leur « poésie ».

Montaigne essaie-t-il de « *filer* » ses métaphores ? Tout dépend de l'humeur du moment, ou de la nécessité de convaincre le plus possible son lecteur. Il lui arrive de grouper des images empruntées à un même registre (v. le passage : « (...) sous les songes d'une vieille. Et me semble estre excusable (...) le droict à chausser », p. 138). Il lui arrive aussi de les faire tout à fait incohérentes, par exemple en mêlant plusieurs registres métaphoriques différents : « Si elle (la doctrine) les (les âmes) rencontre *mousses,* elle les *aggrave* et *suffoque,* masse *crue et indigeste ;* si *desliées,* elle les *purifie* volontiers, *clarifie et subtilise* jusques à l'*exinanition.* » (p. 142) — arme émoussée, poids, étouffement, puis registre de la nourriture, enfin de l'alchimie ; les métaphores continuent, éparses, dans la phrase suivante, pour finir sur l'antithèse sceptre (roi) / marotte (poupée). Parfois enfin, Montaigne s'amuse à une plaisanterie de grand effet tout en réalisant une métaphore : « Suyvez cette *pointe* philosophique, un *pouignart* à la main », p. 150 — la pointe, sens métaphorique, figuré, est matérialisée dans le poignard.

Ces métaphores donnent aussi au style de Montaigne une grande partie de sa gaieté, de sa légèreté, par l'emprunt fait aux registres familiers et par leur continuelle succession, cette « métamorphose des métaphores » qui par son chatoiement donne l'impression du sourire même de l'auteur.

Pour donner de la couleur à son style, Montaigne use d'autres artifices qui, pour être secondaires, n'en sont pas moins caractéristiques. Ce sont tout d'abord les *comparaisons,* beaucoup plus rares que les images, et qui, empruntées aux mêmes domaines, ont le même résultat. C'est ensuite l'emploi d'*expressions proverbiales*, résumés d'expérience, de vie humaine. Il aime, nous l'avons dit, le langage quotidien un peu comme les nobles seigneurs ont aimé à employer, de tout temps, les expressions dont se servaient leurs serviteurs, les vilains et autres manants. Enfin, Montaigne ne dédaigne pas de nous apostropher, de nous interpeller familièrement, nous donnant un instant l'illusion qu'il s'adresse à nous : « A quoy faire vous mettez-vous en voie de quester... » (p. 140) « Ayez un maistre és arts, conferez avec luy... » (p. 141). On croirait qu'il s'adresse à un familier. Comme il n'abuse pas de telles hardiesses, il ne tombe pas dans la facilité, et leur rareté souligne leur valeur : vie et couleur du style.

3. Souplesse et variété des rythmes

Apparemment, comme tout son siècle, Montaigne a été tenté par l'éloquence, par la rhétorique, et il se plaint çà et là de sa peine à respecter sa propre recommandation de souplesse. La dispute entre cicéroniens et anti-cicéroniens s'est déroulée au milieu du siècle. Dès que l'on écrit en prose, on se sent tenu à une certaine éloquence. Cela est vrai chez Rabelais comme chez saint François de Sales, et on en trouve des traces dans les *Essais*.

En effet, Montaigne « semble à la fois plus un et plus divers qu'on ne l'a peint », comme l'a dit A. Micha (9). Cela se retrouve dans son style. Ce que l'on retrouve, à la lecture de Montaigne, c'est son « ton de voix », dans lequel l'ironie s'allie à la gravité, d'où la souplesse et la variété des rythmes. Ceci nous aide à suivre le fonctionnement de son esprit. En effet, comme le dit encore A. Micha, « l'activité de l'esprit n'est pas unilinéaire, elle se compose d'une foule de déclenchements imprévus, de transmissions secrètes, d'intermittences ». Ce qui est vrai pour n'importe qui l'est encore plus pour Montaigne, et son écriture reflète fidèlement cette activité de l'esprit. « Doué d'une réceptivité exceptionnelle, d'une grande aptitude à la douleur et au plaisir », Montaigne passe rapidement de la « nonchalance bestiale », comme il le dit lui-même, à la méditation. D'un style qui sera nonchalant, enjoué même, il passera aisément, parfois sans transition, à un style grave approchant de la rhétorique et atteignant quelquefois à l'éloquence.

Le style de Montaigne suit donc pas à pas le déroulement de sa pensée. Comment pourrait-il en aller autrement d'un livre qui se veut « consubstantiel » à son auteur ? (cf. : « Nous allons conformément et tout d'un train, mon livre et moi », « Tout le monde me reconnaît en mon livre, et mon livre en moi. »)

Mais cette souplesse de style peut conduire aussi à l'ambiguïté. Désinvolture et penchant à l'ambiguïté permettent à Montaigne de se faire entendre à demi-mot de ceux, du moins, qui sauront l'entendre (« Je hasarde souvent des boutades de mon esprit, desquelles je me desfie... mais je les laisse courir à l'avanture. ») Mais il nous invite à prendre parfois ses boutades ou ses rêveries au sérieux (« Ce que j'aurai pu dire en me battelant et en me moquant, je le dirai demain serieusement. »)

Quand fait-il l'un, quand fait-il l'autre ? C'est, souligne A. Micha, une ambiguïté mi-volontaire mi-involontaire, car l'humeur du moment ne perd jamais ses droits.

En conclusion, on rencontre certes l'éloquence chez Montaigne, mais elle est souvent ironique. On trouve des traits d'esprit, mais ils sont souvent pleins de gravité. Il est tour à tour respectueux et caustique, mais il sait toujours trouver le style et le vocabulaire les plus propres à rendre les contradictions de sa nature.

M.S.

NOTES BIBLIOGRAPHIQUES

S'assurer du sens d'une expression du XVIᵉ siècle n'est pas toujours chose facile. Les références ci-dessous pourront donc être utiles aux non-spécialistes.

GRAMMAIRE

1. G. Gougenheim, *Grammaire de la langue française du seizième siècle,* IAC, Paris-Lyon, 1951. Nouv. éd. refondue, Picard, 1974. (Consulter l'index.)

2. A. Haase, *Syntaxe française du XVIIᵉ siècle.* Trad. M. Obert. Delagrave, 1935. (Consulter l'index. Il s'agit d'un ouvrage très volumineux, où — malgré le titre — la langue du XVIᵉ siècle tient une large place.)

VOCABULAIRE

La partie historique du « Littré » cite abondamment Montaigne. Le Grand Larousse de la langue française *précise la date d'apparition de chaque acception d'un mot et permet ainsi d'éviter les contresens. Parmi les ouvrages énumérés ci-après, le plus complet est celui de Huguet.*

3. G. Dubois, R. Lagane et A. Lerond, *Dictionnaire de la langue française classique,* Larousse, 1971.

4. G. Cayrou, *Le Français classique,* Didier, 1923.

5. E. Huguet, *Dictionnaire de la langue française du XVIe siècle,* 7 vol. Edité d'abord par Champion, puis par Didier, 1925-1967.

6. O. Bloch et W. von Wartburg, *Dictionnaire étymologique de la langue française,* PUF, 1975.

7. J. Picoche, *Nouveau dictionnaire étymologique du français,* Hachette (Tchou), 1971.

STYLE

8. F. Gray, *Le Style de Montaigne,* Nizet, 1958.

9. A. Micha, *Le Singulier Montaigne,* Nizet, 1964.

10. K.C. Cameron, *Montaigne et l'humour,* Minard, Archives des lettres modernes n° 71, 1968.

11. A. Thibaudet, « Montaigne et Alphonse Daudet », *Nouvelle revue française,* 1931, pp. 596-602.

On pourra également se référer aux remarques de R. Radouant, dans son édition des Œuvres choisies de Montaigne (Hatier, 1930), p. 305. Enfin, signalons aux enseignants les thèses de Voizard, Etude sur la langue de Montaigne (Paris, 1885) et de H. Wendel, Etude sur la langue des Essais de Montaigne (Stockholm, 1882) ; ce dernier ouvrage, fort bon, ne se trouve à notre connaissance qu'à la B.N.

Quelques textes

PASCAL   É. FAURE   MERLEAU-PONTY

FRIEDRICH   JANKÉLÉVITCH

PASCAL :
L'incomparable auteur de « L'art de conférer »

Tous ceux qui disent les mêmes choses ne les possèdent pas de la même sorte ; et c'est pourquoi l'incomparable auteur de *l'Art de conférer* s'arrête avec tant de soin à faire entendre qu'il ne faut pas juger de la capacité d'un homme par l'excellence d'un bon mot qu'on lui entend dire : mais, au lieu d'étendre l'admiration d'un bon discours à la personne, qu'on pénètre, dit-il, l'esprit d'où il sort ; qu'on tente s'il le tient de sa mémoire ou d'un heureux hasard ; qu'on le reçoive avec froideur et avec mépris, afin de voir s'il ressentira qu'on ne donne pas à ce qu'il dit l'estime que son prix mérite : on verra le plus souvent qu'on le lui fera désavouer sur l'heure, et qu'on le tirera bien loin de cette pensée meilleure qu'il ne croit, pour le jeter dans une autre toute basse et ridicule. Il faut donc sonder comme cette pensée est logée en son auteur ; comment, par où, jusqu'où il la possède : autrement, le jugement précipité sera jugé téméraire.

Pascal, « De l'esprit géométrique et de l'art de persuader »,
in *Œuvres complètes*, Gallimard, Pléiade, 1969, p. 599

N.B. — *Nous avons jugé opportun, pour faciliter le travail du lecteur, de citer uniformément les passages du livre III des* Essais *dans l'édition Garnier-Flammarion, quelle que soit l'édition choisie par l'auteur.*

ÉLIE FAURE :
L'esprit agissant

Fût-il jamais une époque mieux faite pour qu'un homme seul, face à elle, vint dire qu'il était venu « non pas pour établir la vérité, mais pour la chercher » ?

Il la cherche, et voilà tout. Car il ne doute pas qu'il y en ait une, moyenne, complexe, relative. Mais il doute que ce soit tel ou tel qui la détienne, puisque tel et tel se déchirent en son nom. Il ne nie pas les faits, ni que l'homme ait besoin, pour vivre, de les interpréter, puisque, toute sa vie, il s'acharnera à le faire, mais il nie que leur interprétation soit précisément celle que celui-ci présente toute faite, plutôt que celle, aussi toute faite, que lui présente celui-là. « S'il nie, dit Emerson, c'est par honnêteté. » Ce qui n'est pas d'un sceptique écartant, avant de tenter de connaître, la possibilité et l'utilité de la connaissance, mais d'un sage affirmant, après avoir commencé de connaître, que le doute seul, placé au seuil de la connaissance, peut y introduire le jugement peu à peu et pas à pas. De là sa guerre à la science fixée qui ne travaille « qu'à emplir la mémoire et (laisse) l'entendement et la conscience vides » et sa violence vengeresse contre toute espèce de pédant.

Parce que le pédant est celui dont il a dit (p. 142) :

(…) le sçavoir (…) en ceux là (…) qui ne peuvent rien que par livre, je le hay, si je l'ose dire, un peu plus que la bestise.

parce que le pédant est celui qui ne doute pas et ne cesse de dresser, contre l'assaut des idées vives, le rempart des idées mortes, c'est Montaigne qui représente, contre le pédant, les droits de toutes les parties personnelles, vivantes, agissantes, conquérantes de l'esprit. Au contraire du pédant, il ne met jamais en question la foi, la noblesse des autres, ni la nécessité, la sincérité, la légitimité de leur noblesse ou de leur foi. Il doute du bien-fondé de leurs opinions péremptoires. Et, contre le pédant qui prétend apprendre aux autres comment ils doivent agir, il cherche, lui, à apprendre de lui-même pourquoi il agit. Car ce douteur croit, avant tout, à la sainteté primitive des forces irrésistibles qui surgissent sans cesse, comme une eau jaillissante et rafraîchissante, du cœur de l'individu. C'est à propos de lui qu'Emerson dit encore : « La croyance consiste à accepter les affirmations de l'âme. L'incroyance, à les nier. » Et c'est contre celui qui nie que ces affirmations n'aient pas pour devoir impérieux d'abaisser devant quelque dogme ou l'autorité d'un mort leurs plus simples commandements qu'il se dresse, au nom de l'instinct méconnu, de l'intelligence oubliée, et proclame tranquillement une confiance sans limite en la puissance et l'imagination de la nature et de l'homme qui en est l'interprète né.

Élie Faure, « Montaigne » (1923),
in *Montaigne et ses trois premiers-nés, Shakespeare, Cervantes, Pascal*, 1926.
© Les héritiers d'E. Faure. Rééd. Le livre de poche (n° 5317), 1979, pp. 30-31.

MERLEAU-PONTY :
Le paradoxe d'un être conscient

La conscience de soi est sa constante, la mesure pour lui (Montaigne) de toutes les doctrines. On pourrait dire qu'il n'est jamais sorti d'un certain étonnement devant soi qui fait toute la substance de son œuvre et de sa sagesse. Il ne s'est jamais lassé d'éprouver le paradoxe d'un *être conscient*. A chaque instant, dans l'amour, dans la vie politique, dans la vie silencieuse de la perception, nous adhérons à quelque chose, nous la faisons nôtre, et cependant nous nous en retirons et la tenons à distance, sans quoi nous n'en saurions rien. Descartes surmontera le paradoxe et fera la conscience esprit : « Ce n'est point l'œil qui se voit lui-même (...), mais bien l'esprit, lequel seul connaît (...) l'œil et soi-même. » (1) La conscience de Montaigne n'est pas d'emblée esprit, elle est liée en même temps que libre, et, dans un seul acte ambigu, elle s'ouvre à des objets extérieurs, et s'éprouve étrangère à eux. Il ne connaît pas ce lieu de repos, cette possession de soi, qui sera l'entendement cartésien. Le monde n'est pas pour lui un système d'objets dont il ait par devers soi l'idée, le moi n'est pas pour lui la pureté d'une conscience intellectuelle. Pour lui, — comme plus tard pour Pascal, — nous sommes intéressés à un monde dont nous n'avons pas la clef, également incapables de demeurer en nous-mêmes et dans les choses, renvoyés d'elles à nous et de nous à elles. Il faut corriger l'oracle de Delphes. C'est bien de nous faire rentrer en nous-mêmes. Mais nous ne nous échappons pas moins que les choses.

« C'est tousjours vanité pour toy, dedans et dehors, mais elle est moins vanité quand elle est moins estendue. Sauf toy, ô homme, disoit ce Dieu, chaque chose s'estudie la premiere et a, selon son besoin, des limites à ses travaux et desirs. Il n'en est une seule si vuide et necessiteuse que toy, qui embrasses l'univers ; tu es le scrutateur sans connoissance, le magistrat sans jurisdiction et, après tout, le badin de la farce. »

III, 9, p. 214.

En face du monde des objets ou même des animaux qui reposent dans leur nature, la conscience est creuse et avide : elle est conscience de toutes choses parce qu'elle n'est rien, elle se prend à toutes et ne tient à aucune. Engagées malgré tout dans ce flux qu'elles veulent ignorer, nos idées claires risquent d'être, plutôt que la vérité de nous-mêmes, des masques sous lesquels nous cachons notre être. La connaissance de soi chez Montaigne est dialogue avec soi, c'est une interrogation adressée à cet être opaque qu'il est et de qui il attend réponse, c'est comme un « essai » (2) ou une « expérience » de lui-même. Il se propose une investigation sans laquelle la pureté de la raison serait illusoire et finalement impure. On s'étonne qu'il ait voulu dire jusqu'aux détails de son humeur et de son tempérament. C'est que pour lui toute doctrine, séparée de ce que nous faisons, menace d'être menteuse, et il a imaginé un livre où pour une fois se trouveraient exprimées non seulement des idées, mais encore la vie même où elles paraissent et qui en modifie le sens.

Sous l'idée claire et la pensée, il trouve donc une spontanéité qui foisonne en opinions, en sentiments, en actes injustifiables.

Myson, l'un des sept sages, (...), interrogé dequoy il rioit tout seul : « De ce mesmes que je ris tout seul », respondit-il.

Combien de sottises dis-je et respons-je tous les jours, selon moy ; et volontiers donq combien plus frequentes, selon autruy !

III, 8, p. 143

Il y a une folie essentielle à la conscience, qui est son pouvoir de devenir quoi que ce soit, de se faire elle-même. Pour rire seul, il n'est pas besoin de cause extérieure, il suffit de penser que l'on peut rire seul et être pour soi-même société, il suffit d'être double et d'être conscience.

Maurice Merleau-Ponty, « Lecture de Montaigne »,
in *Signes*, Gallimard, 1960, pp. 251-253.

---

1. Léon Brunschvicg. *Descartes et Pascal lecteurs de Montaigne*.
2. « Si mon ame pouvoit prendre pied, je ne m'essaierois pas, je me resoudrois ; elle est tousjours en apprentissage et en espreuve. » (III, 2, p. 21)

HUGO FRIEDRICH :
Montaigne et les livres

(La) position double de Montaigne vis-à-vis de la tradition — respect et distance, amour et indépendance — se reflète d'évidente façon dans son commerce avec les livres. Ce que relatent les *Essais* à ce sujet forme une partie du portrait intime et concret que Montaigne brosse de lui-même. Cette société des livres, il l'estimait très haut. La lecture fournit l'entretien le plus constant et le plus sûr, écrit-il dans l'essai III, 3, après avoir parlé de la société des nobles et des femmes. Les livres sont toujours disponibles pour un échange sans défaut qui console de la vieillesse et de la solitude, émousse la douleur, et distrait salutairement des imaginations importunes ; et les livres sont patients, ils ne se fâchent pas si l'on ne recourt à eux que faute d'une autre compagnie ; ils présentent toujours le même visage aimable à qui les recherche. Il raconte aussi qu'il les emporte en voyage, eux qui sont une inépuisable réserve d'esprit pour le grand voyage de la vie.

Il ne se peut dire combien je me repose et sejourne en cette consideration, qu'ils sont à mon costé pour me donner du plaisir à mon heure, et à reconnoistre combien ils portent de secours à ma vie. C'est la meilleure munition que j'aye trouvé à cet humain voyage, et plains extremement les hommes d'entendement qui l'ont à dire. (p. 43)

Il décrit avec complaisance sa bibliothèque au troisième étage de la tour, où les livres sont rangés sur cinq rayons circulaires : entre eux, trois fenêtres avec la vue sur le jardin, la cour et le lointain ; c'est là qu'il passe la plupart de son temps, et il se demande s'il n'y fera pas bâtir des galeries pour pouvoir aller et venir, car il aime la marche et les idées dorment, pense-t-il, quand les jambes ne se meuvent pas. (...)

(... Mais) il ne se laisse pas dominer par eux (les livres). Son respect pour eux suppose, comme son respect pour la tradition, l'indépendance. (...) Il n'y a plus chez Montaigne de veilles extasiées sur un texte farouchement divinisé. N'est-ce pas, s'il laisse tomber, lors de la description de sa *librairie* : « Je n'y suis jamais la nuict » (pp. 43-44), une saillie à l'adresse des humanistes parlant et reparlant depuis Pétrarque de leurs études nocturnes dans leurs bibliothèques ? (...) La distance seigneuriale qu'il garde vis-à-vis de la tradition tempère aussi son commerce concret avec les livres, en fait un jeu plaisant avec des objets beaux, sans doute, mais que l'on peut écarter à tout

moment. Son naturel est plutôt d'un homme de plein air que de
bibliothèque. Les images de sa vie quotidienne le montrent à cheval,
en voyage, en compagnie, dans ses fonctions de maître de maison ou
de conseiller, beaucoup plus souvent que dans sa librairie. Le passage
de l'essai III, 3 que nous avons cité plus haut ne dissimule pas qu'il
ne permet tout de même pas à ses livres de lui contester le privilège de
la libre méditation, de la pratique de la vie. Sa crainte de tomber en
soupçon de pédantisme lui fait souligner ce trait avec plus de force
que ne l'exigerait la vérité. « Nous autres qui avons peu de pratique
avec les livres », peut-il même dire (III, 8, p. 155). Il assure n'avoir
appris que dans sa vieillesse le bon usage de la lecture : non pour
imposer aux autres, non pour s'assagir, mais pour le seul plaisir et
« jamais pour le quest » (III, 3, p. 44). Les livres lui servent plutôt
d'incitation que d'enseignement. Il les feuillette, tantôt l'un, tantôt
l'autre, sans ordre ni suite (« à pieces decousues », p. 43). Il lit en
prenant ses aises pour rêver, s'attardant quelques instants sur une
page qu'il vient d'ouvrir, puis détournant les yeux pour suivre les
idées éveillées dans son esprit. Il affirme être incapable de lire un livre
une heure d'affilée ; seul Tacite le passionne tellement qu'il le lit d'un
trait, exception assez considérable pour qu'il la note. Son tempérament vif ne connaîtrait plus le plaisir s'il lui fallait se contraindre à
quelque persévérance. « Je ne fay rien sans gayeté ; et la continua-
tion et la contention trop ferme esblouit mon jugement, l'attriste et le
lasse. » (II, 10)

Cet amateurisme dans la fréquentation des livres élude toutes les
difficultés de compréhension : « Les difficultez, si j'en rencontre en
lisant, je n'en ronge pas mes ongles ; je les laisse là, après leur avoir
fait une charge ou deux. » (*ibid.*) S'il ne comprend pas un passage
difficile, l'utilité en est quand même qu'il y découvre la mesure de
son jugement, c'est-à-dire encore une fois lui-même, qui est la fin de
toute sa réflexion. Il éprouve une sorte de plaisir à renoncer à la difficulté, qui le renvoie à sa condition moyenne (*ibid.*). Il le dit sans
aucune gêne et tranquillement il ose être tel qu'il est. Il n'aime pas
lutter avec les grands auteurs :

Je ne luitte point en gros ces vieux champions là, et corps à corps : c'est
par reprinses, menues et legieres attaintes. Je ne m'y aheurte pas ; je ne fay
que les taster ; et ne vay point tant comme je marchande d'aller. (I, 26)

Il limite soigneusement la société des livres, matérielle et idéale, au
degré qui ne nuit pas au développement personnel ni à la formation
du jugement du lecteur Montaigne. Car l'esprit qui se cherche court
péril d'être détourné de son but par une présence étrangère. D'où une

phrase comme celle-ci : « Quand j'escris, je me passe bien de la compaignie et souvenance des livres, de peur qu'ils n'interrompent ma forme » (III, 5, p. 89). Comme chaque lecture l'incite à produire et le met sur la voie de lui-même, il lui suffit de trouver dans les livres une brève et vigoureuse impulsion. Alors, il les remet de côté, et ce geste n'est pas, dans les *Essais,* moins fréquent que celui de les feuilleter. Les auteurs qu'il a lus marquent derrière lui, sur son chemin, la trace du mouvement propre de son esprit ; s'il revient les interroger, c'est d'un nouveau point de vue de ce mouvement. Ce qu'il y a chez eux a beaucoup moins d'importance que ce qu'il est devenu grâce à eux. (...) Ce qu'il cherche dans les livres est avant tout leur auteur. Lui qui est si préoccupé de son individualité, c'est aussi celle des autres qu'il veut apercevoir chez eux.

Et tous les jours m'amuse à lire en des autheurs, sans soin de leur science, y cherchant leur façon, non leur subject. Tout ainsi que je poursuy la communication de quelque esprit fameux, non pour qu'il m'enseigne, mais pour que je le cognoisse. (III, 8, p. 143)

La société des livres devient celle des hommes, avec la curiosité des nuances de leur génie personnel.

Hugo Friedrich, *Montaigne* (1949).
Trad. R. Govino. Gallimard, 1968, pp. 52-55.

Les citations chez Montaigne

Montaigne a beaucoup réfléchi à ses citations, qu'il appelle *emprunts, allegations.* Une citation, dans les *Essais,* ne signifie pas que l'auteur cité soit une autorité incontestable. Ni, comme dans l'antiquité, qu'il s'agit de lui rendre hommage (citer se dit quelquefois chez les Romains *laudare*). Une seule fois Montaigne fait observer que les citations de grands auteurs dissimuleront ses faiblesses (II, 10). En les citant, Montaigne donne la parole aux auteurs dont il prend ce qui lui plaît. Le sens de ses citations, comme ce fut toujours le cas des citations littéraires, non scientifiques, est alors infléchi dans celui de son propre contexte, avec cette surprise que le passage emprunté s'enrichit d'un sens qu'il n'avait pas dans l'original. (...) On trouve très souvent des citations qui vont à l'encontre de l'intention et de l'esprit de l'original. Une citation servant de point de départ à une interprétation ne se trouve qu'en III, 5, à propos de Virgile. En général, la citation est au milieu d'un développement qui se poursuit à travers l'emprunt. Ce dernier reçoit une pointe nouvelle et spirituelle, tout en servant à embellir, à varier ou à éclairer l'idée. On voit à quel point Montaigne comptait sur des lecteurs avertis par le fait que beaucoup de ses citations ne se comprennent que si l'on a le contexte de l'original à l'esprit — à moins qu'on n'aille vérifier. Une profusion des passages les plus beaux de la poésie et de la prose latines figure ainsi dans les *Essais*. Mais ils entretiennent toujours un rapport étroit avec le citateur. Montaigne renonce à peu près toujours à faire parade de citations. Dans ses époques moyenne et tardive, il évite presque toujours de faire appel à ce savoir purement scolaire, si prompt à fournir pour chaque lieu commun les phrases d'auteurs anciens en réserve aussi dans les centons, florilèges, etc., et donc attendues.

H. Friedrich, *op. cit.*, pp. 392-393.

JANKÉLÉVITCH :
L'ironie contre l'immobilité de l'être

« Ironie, vraie liberté ! » s'écrie Proudhon au fond de sa cellule de Sainte-Pélagie, « c'est toi qui me délivres de l'ambition du pouvoir, de la servitude des partis, du respect de la routine, du pédantisme de la science, de l'admiration des grands personnages, des mystifications de la politique, du fanatisme des réformateurs, de la superstition de ce grand univers et de l'adoration de moi-même (...) Tu consolas le Juste expirant quand il pria sur la croix pour ses bourreaux : Pardonnez-leur, ô mon Père, car ils ne savent ce qu'ils font. Douce ironie ! Toi seule es pure, chaste et discrète. Tu donnes la grâce à la beauté et l'assaisonnement à l'amour ; tu inspires la charité par la tolérance ; tu dissipes le préjugé homicide... ; tu procures la guérison au fanatique et au sectaire, et la Vertu, ô Déesse, c'est encore toi. Viens, souveraine... . » (1) C'est donc bien vrai que l'ironie est la mobilité même de la conscience, l'esprit révoquant sans cesse ses propres créatures pour garder son entrain et rester maître des codes, des cultures et des formes cérémonielles. L'ironie remet sans cesse en

1. *Les Confessions d'un révolutionnaire, pour servir à l'histoire de la révolution de Février*, in *Œuvres*, éd. D. Halévy, 1929, pp. 341-342.

question les prémisses soi-disant sacro-saintes ; par ses interrogations indiscrètes elle ruine toute définition, ravive inlassablement le problématique en toute solution, dérange à tout moment la pontifiante pédanterie prête à s'installer dans une déduction satisfaite. L'ironie, c'est l'inquiétude et la vie inconfortable. Elle nous présente le miroir concave où nous rougissons de nous voir déformés, grimaçants, elle nous apprend à ne pas nous adorer nous-mêmes et fait que notre imagination conserve tous ses droits sur ses progénitures indociles. Quiconque est sourd à son chuchotement se condamne au dogmatisme stationnaire et à l'engourdissement béat. (...) Tout se transforme, tout est meuble, fluent, changeant. L'ironie proteste contre le rationalisme statique et rend hommage à la temporalité de la vie ; l'ironie dit à sa manière que toute l'essence de l'être est de devenir, qu'il n'y a pas d'autre manière d'être que de devoir-être, que la conscience est le contraire d'une chose.

V. Jankélévitch, *L'Ironie,* Flammarion, 1964.
Rééd. Champs, 1979, pp. 182-182.

DIA

COLLECTION « OEUVRES ET THÈMES »

Titres parus :

Imprimé en France — FIRMIN-DIDOT S.A. — 6882
Dépôt légal : 3e trimestre 1980 — No d'édition 4369